# Sur tes cils fond la neige

Vladimir Fédorovski

# Sur tes cils fond la neige

*Le roman vrai du Docteur Jivago*

Stock

Couverture Coco Bel Œil
Illustration de couverture : © Fine Art Images/
Bridgeman Images

ISBN 978-2-234-08819-1

*À Béatrice-Anastasia*

*Ah, si je pouvais seulement,
j'aurais voulu écrire sur l'essence
des passions...*

Boris Pasternak

*T*out le monde a vu *Le Docteur Jivago.* Le film de David Lean fut l'un des plus gros succès de l'histoire de Hollywood qui le récompensa de cinq oscars en 1966. Carlo Ponti, le producteur, voulait que son épouse Sophia Loren interprète Lara, la jeune maîtresse de Jivago, personnage féminin principal. Le réalisateur s'opposa catégoriquement à cette idée, ajoutant sans ambages : « Qui peut croire, en la voyant, à une jeune fille de 17 ans ? » Le rôle de Lara fut attribué à Julie Christie, dont les yeux bleus entrèrent dans la légende du grand écran, tandis que l'acteur fétiche de *Lawrence d'Arabie*, Omar Sharif, était choisi pour incarner le docteur Jivago. Assurément, la musique de Maurice Jarre ajouta encore à la magie de l'œuvre.

Mais le film mit dans l'ombre le livre de Boris Pasternak qui lui servait de trame. On oublia le contexte politique dans lequel il fut écrit, publié et récompensé par le prix Nobel de littérature. On négligea aussi que le roman était avant tout une fresque historique et naturaliste sur la Première Guerre mondiale et la Révolution russe. On préféra l'image glamour à la noirceur du texte, la mélodie de Lara et son inoubliable regard aux tourments et à l'agonie du peuple russe. Pourtant, *Le Docteur Jivago* fut le premier coup de marteau contre l'Empire rouge, la chute du mur de Berlin restant le symbole majeur de son effondrement.

Le XX$^e$ siècle fut tragique en Russie : plus de 3 millions de morts lors du premier conflit mondial, 27 millions durant le second, 25 millions de victimes du régime totalitaire sous Lénine et Staline\*. Comment, dans ce contexte apocalyptique, des Prokofiev, Chostakovitch, Pasternak purent-ils continuer de composer et d'écrire ? Boris Pasternak, qui avait choisi de ne pas quitter son pays, fut le témoin direct de ces catastrophes. Le grand écrivain Valentin Kataïev me disait souvent que le protagoniste central du *Docteur Jivago* était la Révolution russe. Il m'expliquait que Pasternak y menait un dialogue imaginaire avec Lénine, Nicolas II, Trotski et surtout Staline. Les dignitaires du gouvernement et du

---

\* Voir la chronologie en fin d'ouvrage.

KGB ne s'y étaient pas trompés en condamnant le roman.

Il y a plus de trente ans, alors que j'étais encore diplomate, au plus fort des réformes de Gorbatchev, mon ami Alexandre Yakovlev [1*] m'autorisa à consulter des archives longtemps restées secrètes sous les Soviets, notamment l'ensemble du dossier du Comité central concernant Boris Pasternak. Le premier document [**] que je lus fut une courte biographie de l'écrivain rédigée par l'emblématique chef du KGB en personne, Alexandre Chélépine [2]. Elle témoigne de la violence du gouvernement soviétique envers Pasternak. Chélépine insiste sur la présence auprès de lui d'Olga Ivinskaïa, sa maîtresse à l'influence prétendument néfaste et antirévolutionnaire. Il y évoque aussi la famille de Marina Tsvétaïéva, l'amoureuse platonique de l'auteur dans les années 1930. Ce texte rend également compte de l'intrication de la passion et de l'Histoire dans la vie de Pasternak, il montre comment lui et ses proches furent cyniquement manipulés, tel le Boulon du célèbre opéra de Chostakovitch [3].

Pourquoi Pasternak fut-il victime d'un tel acharnement ? Selon Yakovlev, les agents

---

* Les notes sont placées en fin d'ouvrage.
** Le texte est disponible en annexe.

du KGB venaient de rapporter aux chefs du Kremlin une phrase prononcée par Pasternak dans sa datcha truffée de micros. L'écrivain aurait lancé : « Staline était un grand dément et un bourreau, Khrouchtchev est un crétin et un porc. » Ce dernier en conçut une rancune personnelle envers Pasternak… En outre, le Kremlin ne pouvait lui pardonner d'avoir écrit dans *Le Docteur Jivago* que les maux de la Russie étaient attribuables aussi bien aux excès de Staline qu'à la révolution léniniste et son idéologie. Sous la plume de Pasternak, le coup d'État bolchevique d'octobre 1917 était non seulement une falsification du projet révolutionnaire originel, mais un crime. Le roman allait contre l'effort de Khrouchtchev pour exonérer Lénine et la classe dirigeante de l'ère soviétique, pour rejeter la responsabilité des crimes sur Staline.

Par la voix de son héros, Pasternak juge l'esprit de son temps et condamne fermement le marxisme : « Je ne connais pas de courant qui soit plus replié sur lui-même et plus éloigné des faits que le marxisme. » Il affirme que la mission de l'individu est de s'opposer à la « duplicité érigée en système » et au « mensonge venu sur la terre ». C'est ce qu'il fit en divulguant son roman à l'Ouest. Son art poétique devenait sa vie. La destinée de l'œuvre comme celle de son auteur étaient d'emblée annoncées dans le texte. Le don de soi jusqu'au sacrifice était, selon Pasternak, «la seule justification sociale et morale de l'art».

La notice biographique de Chélépine porte une attention particulière à Olga, la maîtresse de Pasternak. Dans sa paranoïa, le chef du KGB cerne ce qui l'indispose dans le caractère de l'écrivain : son individualisme, qui prête à l'amour un intérêt bien peu soviétique. Pourtant, *Le Docteur Jivago* est un roman historique, pas un pamphlet politique. Il ne propose pas d'autre issue à la tragédie de l'Histoire que la contemplation. C'est d'abord la nature et la beauté qui préservent Jivago du chaos. Le voici dans un train bondé, pour un trajet de plusieurs jours, en pleine guerre. C'est le chaos, et l'angoisse de l'arrestation arbitraire. Malgré cela, Jivago sent la possibilité d'une sérénité intérieure : «Comme partout ailleurs, le quai retentissait de hurlements, de lourds bruits de bottes. Mais non loin de là, il y avait une cascade. C'était elle qui dilatait la nuit blanche et l'animait d'un souffle de fraîcheur et de liberté.» La nature le sauve, et surtout l'amour, que le régime soviétique considère comme bourgeois. Pour Pasternak, la gravité politique des événements ne saurait abolir les destinées intimes. Dans *Le Docteur Jivago*, les passions du poète triomphent de la fureur de l'Histoire et le protègent.

Pasternak eut des histoires d'amour intenses et insolites. La plus singulière fut la relation épistolaire qu'il nourrit avec la grande poétesse Marina Tsvétaïéva – ils ne se rencontrèrent que quelques fois ; les plus charnelles, ses aventures avec Zinaïda, son épouse, et Olga, sa jeune maîtresse, qu'il aima conjointement. C'est ce douloureux triangle amoureux que Pasternak reproduit dans son roman.

Lara et Jivago sont animés par le même amour de la vie, par la même habileté à suspendre le temps en dépit des circonstances. Ils subissent des épreuves indignes, dont la culpabilité de l'adultère n'est pas la moindre. Mais il leur suffit d'être ensemble pour plonger dans le vrai bonheur d'exister, comme le poème de Jivago, « Aveu », l'exprime :

*Être une femme et rendre fou*
*Est une action d'éclat.*

*Pour moi, un bras, un cou, un dos*
*De femme est un miracle*
*Que je ne cesserai jamais*
*De porter au pinacle.*

*Mais la nuit a beau m'investir*
*De son anneau d'angoisse,*
*Plus forte est la soif de partir*
*Et la passion qui casse.*

Dans l'extraordinaire recueil de vers qui conclut le roman et que Pasternak attribue à Youri Jivago, l'écrivain s'identifie ouvertement à son héros. Il expose l'hésitation du poète au seuil du sacrifice suprême, et la promesse de ce sacrifice : celui d'une vie nouvelle. Il autorise ainsi qu'on le confonde avec Jivago, « celui qui survit », homme christique contre lequel l'Histoire ne peut rien et qui se donne à l'amour et à la poésie :

> « *Je descends au tombeau, mais au troisième jour*
> *Je me redresserai et, comme un train de bois,*
> *Au sombre fil de l'eau, les siècles flotteront*
> *Vers ma lumière et je les jugerai.* »

Ainsi se termine le roman.

La ressemblance entre Pasternak et son personnage est troublante jusque dans les détails biographiques. Après la mort de ses parents, Youri Jivago est adopté par les Gromeko, un couple de bourgeois appartenant à l'intelligentsia moscovite, « des gens cultivés, de fins mélomanes qui aimaient à recevoir ». Il épouse Tonia, la fille de la maison avec laquelle il a grandi. À l'instar des Pasternak, les Gromeko organisent des soirées de musique de chambre. Chez eux on parle art, science et politique. En suivant Pasternak/Jivago dans les voies tortueuses du siècle des totalitarismes, je propose d'explorer les tourments d'une âme aux prises avec l'Histoire, qu'elle ne veut ni épouser, ni calomnier. Une âme profondément humaine, qui sera rattrapée par le cynisme politique. C'est dans l'ambiance feutrée du Moscou du début du XX$^e$ siècle qu'elle se forma…

# Une jeunesse moscovite

*B*oris Pasternak est né en 1890, à la fin d'une période d'épanouissement pour la culture russe. Malgré le régime répressif des tsars, la Russie avait donné libre cours à son génie dans le domaine des sciences, des arts, en particulier de la littérature : le XIX<sup>e</sup> siècle avait vu fleurir dans les lettres le talent de Pouchkine et Lermontov, de Gogol, Tolstoï et Dostoïevski, en musique, de Tchaïkovski et Moussorgski. Puis les premières années du XX<sup>e</sup> siècle, appelées « âge d'argent », connurent la création des Ballets russes par Serge Diaghilev, avec les meilleurs artistes du théâtre Mariinsky de Saint-Pétersbourg, celle des œuvres d'Igor Stravinsky en musique, de Kandinsky et Chagall en peinture. Et la famille Pasternak était emblématique de ce siècle d'argent. D'origine juive, sans doute lointainement espagnole, elle incarna la notabilité typique de ce temps qui précéda la révolution bolchevique de 1917.

Leonid, le père de Boris, homme affable au caractère rêveur, était le fils d'un aubergiste venu d'Odessa, petit port de la mer Noire transformé en extraordinaire ville cosmopolite au début du XIXᵉ siècle par le gouverneur français Armand de Richelieu. Arrivé sur les bords de la Moskova en 1881 pour étudier la médecine à l'université, Leonid Pasternak changea d'idée et s'inscrivit à l'automne 1882 à l'académie des Beaux-Arts de Munich, dans le royaume de Bavière. Il allait devenir un peintre de renommée internationale. Encore aujourd'hui ses œuvres sont conservées dans les musées du monde entier. Malgré son enthousiasme pour les impressionnistes, Leonid était resté attaché à l'esthétique réaliste des Ambulants, un courant dominant à l'époque en Russie. Ses tableaux, comme ceux de son mouvement artistique, représentent la vie simple du peuple. Sa notoriété lui valut d'être membre de l'académie des Beaux-Arts de Saint-Pétersbourg, mais aussi l'ami de Tolstoï et de Rilke. Sa femme Rosalia, pianiste virtuose, renonça à sa carrière pour se consacrer au foyer. Elle donna naissance à quatre enfants : d'abord deux garçons, Boris en 1890, puis Alexandre, futur architecte, en 1893 ;

ensuite deux filles, Joséphine et Lydia, nées en 1900 et 1902.

La gloire de Leonid fut portée au pinacle quand en 1892 il illustra une édition de *Guerre et Paix* de Léon Tolstoï. Le 23 novembre 1894, la mère de Boris offrit un mémorable concert de musique de chambre dans la maison familiale, auquel Tolstoï assista. Leonid Pasternak discuta avec animation de ses illustrations avec le grand romancier. Les deux hommes partageaient non seulement les mêmes idées, mais une grande affection. Je les imagine échangeant avec flamme… « Leonid, vous avez intimement compris mon ambition et mon œuvre. Je vous remercie pour vos dessins, dit Tolstoï.

— Maître, je ne sais comment vous exprimer ma reconnaissance pour la confiance que vous me témoignez », répondit l'artiste, comblé.

Durant cette période, Leonid eut l'occasion de réaliser de nombreux portraits du génie de la littérature russe. Par un jour de novembre 1910, le jeune Boris accompagnerait son père en gare d'Astapovo. C'est là que Tolstoï décéderait après des journées d'agonie et que Leonid peindrait son ami sur son lit de mort. Tolstoï avait choisi de fuir Iasnaïa Poliana, sa demeure chérie, pour aller mourir seul dans une petite gare de campagne. Son mariage avec Sophie, qui lui donna treize enfants, était devenu pour lui un « enfer ».

Sophie, la fidèle, la possessive, la protectrice, avait tenté d'apaiser les angoisses de Tolstoï, partagé entre son idéal d'abstinence et ses appétits sexuels... Les circonstances tragiques de sa fin de vie sont toujours empreintes de mystère. Sur le tableau, l'écrivain repose sur l'oreiller qui garde encore la trace de l'illustre tête. Son visage, force de la nature vaincue par la pneumonie et les tourments spirituels, se graverait à jamais dans le jeune esprit de Boris.

S'il est un autre fait marquant, ce fut un accident, qui vint assombrir l'enfance de Pasternak. Le 6 août 1903, son père voulut peindre de nuit un tableau représentant des chevaux au galop. Boris participa à la scène comme modèle, mais son cheval s'emballa. Il fit une chute qui lui coûta une fracture du fémur. Mal soigné, Boris aurait sa vie durant une jambe plus courte que l'autre et corrigerait ce handicap par une démarche particulière, mélange de fragilité et d'assurance, qui ferait son charme.

L'appartement moscovite des Pasternak se trouvait dans une artère que surplombait une colline. Il avait une vue magnifique sur la Moskova et sur l'imposant dôme doré de la cathédrale du Christ-Sauveur. Le majestueux Kremlin avec ses murs ciselés s'offrait au regard à quelques centaines de mètres. Chez les

Pasternak, on parlait belles-lettres, philosophie, art, croyances et politique dans une ambiance intime et amicale où la tolérance était de mise.

Dans la salle à manger, vaste et claire, une table particulière était volontiers dressée pour les hors-d'œuvre, les célèbres *zakouski*. Quant à la vodka, il y en avait toujours de plusieurs sortes : depuis la vodka blanche courante jusqu'à celle au poivre, en passant par la *zoubrovka*, eau-de-vie de grain plus savoureuse qui tire son nom du *zubr*, animal en voie de disparition tenant de l'aurochs et du bison et raffolant de l'herbe qui donne son parfum à cette vodka. Les flacons glacés brillaient au-dessus d'un extraordinaire étalage de victuailles que le maître de maison aimait à énumérer pour ses invités : caviar frais, caviar pressé, filets de hareng, concombres à l'eau salée et aux aromates, esturgeon fumé, cochon de lait au raifort, saumon froid, petits pâtés chauds à la viande, au chou, au poisson… Le vin et la vodka aidant, tout comme la gaieté et l'élégance de la maison, l'on s'enivrait d'idées, de bons mots, des paysages russes, et de musique aussi, car Scriabine, le compositeur et pianiste en vogue, venait souvent s'y produire. Le jeune Boris vécut ainsi au rythme des concerts impromptus et des nuits blanches durant lesquelles on parlait de musique, de poésie et de peinture jusqu'à l'aube.

Au début du XXᵉ siècle, Moscou était toujours une cité patriarcale, presque campagnarde, marquée par la tradition slavophile. L'antithèse de Saint-Pétersbourg, la capitale des fonctionnaires et des Russes européanisés ! Pasternak s'y sentait à la fois en province et au cœur du monde, charmé par les maisons de bois habillées d'une douce peinture grise ou d'un crépi laiteux ; par les jardins qu'emplissait, au printemps, le chant des rossignols ; par la lumière délicate de la fin d'été qui ne blessait pas le ciel, ou encore en octobre par les branches d'arbres qui pendaient au-dessus d'une palissade, balancées par la première neige sur les grilles des magnifiques hôtels particuliers. Rien d'étonnant si les approches philosophiques de Pasternak se différencièrent des tendances radicales dominant à l'époque en Russie. « La pensée chrétienne reste la base de mon approche de la vie », confia-t-il à une amie[4]. Bien plus tard, sous la dictature rouge, il continuerait de savourer la beauté des textes bibliques. Il connaissait par cœur de nombreux psaumes dont il admirait la poésie. Sa perception en était cependant très personnelle. Il sacralisait la nature et faisait du texte religieux un usage poétique plus qu'exégétique...

Tout en restant attaché à l'esprit intellectuel moscovite, Boris était très ouvert à l'Europe. Il apprit les principales langues européennes, notamment le français. Inspiré par Scriabine, il se sentit un temps porté vers la musique et se rêva compositeur. Mais la poésie hantait déjà son esprit : dès l'âge de 17 ans, il nourrit une passion pour l'œuvre du génie autrichien de la poésie, Rainer Maria Rilke. Il lisait ses poèmes la nuit, à la lueur des bougies, emporté par leur beauté et leur pureté. « Un jour, j'imiterai Rilke et porterai ma langue à sa sublimité », se promettait-il, épuisé de lectures et de réflexions. Et il tint son engagement : avant d'être un romancier, Pasternak fut un immense poète. Arrivé à l'âge adulte, il devait rencontrer Rilke par lettres, et son maître devenir un confident et un intime.

En 1908, Boris Pasternak réussit brillamment son baccalauréat et s'inscrivit à la faculté de droit de l'université de Moscou. Ses remarquables résultats le dispensèrent de l'examen d'entrée. Parallèlement, il poursuivait ses cours de musique et entreprit de sérieuses études de composition. Secrètement tourmenté de ne pas avoir l'oreille absolue, il finit par y renoncer. Il quitta également la faculté de droit pour celle d'histoire et de philologie et se consacrer à la philosophie. Mais Leonid convainquit son fils de continuer ses études à l'étranger : « Tu dois quitter la Russie quelque temps, découvrir l'Europe ! Le monde est vaste, tu as l'âge de l'arpenter. Le moment venu, tu pourras jouir de ta chère Russie. »

Avant son départ, Pasternak se rendit à Iasnaïa Poliana, le domaine de Léon Tolstoï, à environ deux cents kilomètres de Moscou. Ce pèlerinage resterait un grand souvenir pour Pasternak. Iasnaïa Poliana fut toujours pour lui le symbole de l'âme et du génie russes. Plus tard, les magnifiques paysages de son pays natal seraient, comme chez Tolstoï, la première matière de son œuvre. À l'instar de l'écrivain qu'il admirait, Boris décrirait la beauté et la magnificence de la nature intouchée malgré les horreurs humaines. Pour l'heure, sur la tombe du grand homme, il s'engageait avec fierté : « Je n'oublierai jamais ce que vous m'avez appris sur l'homme et la nature. » L'image du profil mortuaire de l'écrivain se rappelait à lui, comme une dette à honorer.

Le père de Pasternak aimait peindre l'entrée du parc où se dressent encore, de chaque côté de l'avenue de bouleaux qui conduit à la maison, deux tours érodées par le temps et coiffées d'un toit en forme de pétase. Ces tours recouvertes de chaux laissent voir sous l'enduit les mêmes petites briques couleur de sang caillé que les murs du Kremlin. Non loin, passe la vieille route de Kiev qui conduisait le défilé ininterrompu des pèlerins vers les nombreux monastères de la région.

Le parc d'Iasnaïa Poliana est ombreux, étendu et intime à la fois, avec ce brin de négligence qui fait souvent le charme de ce pays. Les allées sont sablées, les tracés beaux. Les « tilleuls des princes », plantés par un des princes Volkonsky, aïeul de Tolstoï, élèvent leur silhouette magique ; quatre étangs poissonneux et une rivière profonde y ajoutent du mystère. Le moutonnement vert des pelouses, ou plutôt des prairies, recouvre toute la colline, la plaine offre un horizon immense jusqu'à une bande bleue, tout en bas.

Le 21 avril 1912, Boris partit pour Marbourg, en Allemagne, où il passa son doctorat. Bergson et les néokantiens exercèrent sur lui une certaine influence. Pasternak s'était inscrit au séminaire du chef de file de l'école de Marbourg, le philosophe juif Hermann Cohen, le plus grand spécialiste de Kant de son temps, homme charismatique et brillant. La ville elle-même resta longtemps une source d'inspiration poétique. Le jeune homme rêva toujours de retrouver les vieilles pierres et les lignes courbes de la ville hessoise.

Boris y fit la connaissance d'Ida Vissotskaïa, fille d'un riche marchand de thé de Moscou. Mais ce fut son premier désenchantement amoureux, lorsque sa demande en mariage se vit refusée. Boris en fut très malheureux, le mal du pays le gagna, il le ressentit même physiquement. Il avait hâte de rentrer en Russie. Dès ses premiers voyages, il comprit qu'il ne pourrait pas vivre sans les neiges de son pays natal. Le 25 août 1912, il était de retour.

Du train reliant Berlin à Moscou, un paysage plat glissait depuis des heures derrière la fenêtre du compartiment. La locomotive sifflait d'ennui dans la plaine verte. Sous les pieds de Pasternak, les roues chancelaient. Il sortit dans le couloir, essuya un carreau et aperçut les coupoles dorées de Moscou. Il cria haut et fort : « Dieu, que mon voyage à Marbourg est réussi ! Mais j'abandonne tout. Ma vocation sera l'art et rien d'autre. »

En descendant du wagon, il reçut la ville en plein visage, avec ses maisons pittoresques, ses silhouettes incertaines et les carillons lointains des cloches. Il adorait ces journées de fin d'été, quand, au crépuscule, s'enflammaient les réverbères aux lueurs chaudes. Les vitrines s'éclairaient, la ville libérée des préoccupations du jour s'animait. Les cochers se faisaient plus rapides, plus grave était le bourdonnement des tramways.

Les premiers essais en prose de Pasternak reflètent ses impressions de retour. En 1912, il acheva son premier recueil de vers, *Un jumeau dans les nuages*. D'une manière mystérieusement prémonitoire, cinq ans avant la Révolution, il écrivait ces vers :

*De l'encre et des larmes !*
*Dire à grands sanglots février*
*Tant que la boue et le vacarme*
*En printemps noir viennent flamber*

Sa vocation était la poésie, c'était maintenant une certitude. Ce choix était selon lui déterminé par la providence. « Quoi qu'on fasse, disait son père à ce sujet, quand bien même on le battrait, on ne parviendrait pas à l'écarter de son destin d'artiste. »

Bien que Moscou restât la ville préférée de Pasternak, le jeune poète se rendit plusieurs fois à Saint-Pétersbourg, dont un premier séjour à Noël 1904. Les rues y étaient larges, tirées au cordeau, sans une palissade. Partout, des façades de pierre aux dimensions imposantes... Pour Pasternak, Saint-Pétersbourg n'était pas simplement une ville merveilleuse, c'était aussi un endroit peuplé par les figures mythiques venues des profondeurs de la Russie éternelle, tels Pierre le Grand, Élisabeth la Clémente ou la Grande Catherine, rythmé par les merveilles architecturales, propice aux promenades contemplatives et aux rendez-vous secrets [5].

Au milieu des rires d'une complicité bon enfant, on pouvait admirer les chorégraphies d'hiver, occasions de rencontres inattendues, de regards échangés, de joues en feu, sous un froid qui fouettait les sangs. Mais ce qui faisait le principal amusement de Pasternak comme de tout le monde, c'étaient ces montagnes de glace du haut desquelles les couples s'élançaient, assis sur d'élégantes luges. L'impulsion donnée par la pente était si forte qu'une fois arrivés en bas, la luge et ses passagers pouvaient se promener pendant un bon quart d'heure dans une arène glacée autour de laquelle badinaient garçons et jeunes filles vêtus à la russe, avec manchons, pelisses et bottes fourrées. Les familles, parées comme aux jours les plus solennels, se dirigeaient ensuite vers le centre de la capitale, à gauche de la Neva, où se réunissaient les illusionnistes, les baladins, les danseurs de corde, les marchands de toutes sortes. Chacun pouvait s'amuser des jeux de l'escarpolette. Le fleuve étant gelé jusqu'à un mètre cinquante de profondeur, les habitants établirent une patinoire face à l'institut Smolny. À ce rendez-vous immanquable, sur la glace la plus épaisse et sûre, le peuple se rendait à pied et en traîneau, les gens riches ou de la Cour dans de beaux équipages.

Le bouillonnement artistique battait son plein à Saint-Pétersbourg. Les expositions d'Art nouveau ouvraient les unes à la suite des autres, celles des associations artistiques, tels le Monde de l'art, la Toison d'or, le Valet de carreau, la Queue d'âne, la Rose bleue. Sur leurs affiches, le nom des artistes russes Kandinsky, Larionov, Gontcharova jouxtaient celui des Français Bonnard et Vuillard. La Toison d'or exposait Matisse et Rodin. C'était l'époque de la « Renaissance russe ». « Le moindre coin de Russie grouillait de poètes », se souviendrait Vladimir Nabokov. La fin du XIXᵉ siècle vit naître le mouvement du symbolisme, soutenu par le philosophe Soloviev contre le positivisme et dont la plus célèbre figure fut le poète Alexandre Blok. L'acméisme vint ensuite s'opposer à l'orientation mystique et à l'esthétisme du symbolisme, prônant la clarté d'expression, le contact vivant avec la réalité. Ses premiers représentants étaient Anna Akhmatova et Ossip Mandelstam. Quant au futurisme, courant littéraire d'avant-garde inspiré par l'Italien Marinetti, il fut porté en Russie par Maïakovski. C'est avec ce groupe que Pasternak entretint des liens étroits.

Pour rencontrer ses poètes, Pasternak erra plusieurs jours de suite dans une boîte à la mode, Le Chien errant. Son physique ne passant pas inaperçu, il se fit rapidement remarquer. Olga Ivinskaïa le décrirait ainsi dans ses mémoires : « Son nez aristocratique, d'une jolie courbure élégante, était un peu court pour ce long visage à la mâchoire lourde de l'obstiné, de l'homme, du chef. On sentait aussitôt que ses baisers vous laisseraient la bouche meurtrie par l'airain de ses lèvres. Il avait le teint brun doré, le hâle d'un homme en bonne santé. Ses yeux étaient couleur d'ambre comme ceux des aigles, et toute sa personne avait une charmante distinction. »

Dans cette cave, la bohème de la capitale de l'Empire se rassemblait généralement passé minuit et ne se séparait qu'au petit matin. Dans ce lieu chaud de Saint-Pétersbourg, l'humanité se divisait en deux catégories inégales : les artistes et les « pharmaciens », terme générique qui désignait ceux qui n'en étaient pas. L'entrée était gratuite pour « les artistes et les littérateurs », tandis que les « pharmaciens » devaient débourser une somme rondelette, qu'ils acceptaient de régler sans broncher. Sous les voûtes du Chien errant, recouvertes de peintures de fleurs et d'oiseaux, un « art intime » était en gestation. Les pianistes, poètes et acteurs étaient invités à monter sur l'estrade. C'était improvisé et impromptu. Personne ne refusait de se produire, ou à de très rares exceptions.

Pourtant, ce monde littéraire effervescent désenchanta le jeune poète. Cet univers était pour lui un parnasse opiacé où les acolytes du symbolisme s'amusaient à de vaines querelles. Changeant la nuit en jour, perdus dans des discussions oiseuses, les intellectuels russes se détournaient de la tragique réalité d'une Russie désolée et sans armes. Pasternak ressentit vivement le fossé entre le régime tsariste et la société. Quelques années plus tôt, Tolstoï avait dressé dans son article « Gengis Khan et le télégraphe », publié en russe à Paris en 1910, un portrait sinistre du régime monarchiste, « inutile et criminel », qu'il comparait à celui de l'illustre souverain mongol. Il révélait l'étendue de son impopularité et en prévoyait le prochain écroulement. Comme Tolstoï, Pasternak vivait dans l'attente d'une catastrophe menaçant l'Empire.

Pasternak fut soulagé de rentrer à Moscou. Cette cité avait conservé son ancienne apparence de ville de province, pittoresque et féerique. La capitale ancestrale évoquait les fastes des contes populaires ou orientaux. Des hauteurs, il pouvait voir la ville s'étendre avec ses jardins sombres blanchis par la neige. Vu de la berge de la Moskova, le Kremlin formait au cœur de la ville un prodigieux encastrement de monastères bleus et de palais orange, de terrasses, de dômes et de belvédères, d'églises blanches, plus hautes encore, étageant leurs toitures vert amande et leurs clochers dorés. À tous les carrefours se logeaient des églises – 450 en tout – avec leur crépi vif, ocre rose, ocre jaune ou bleu ciel. De ces couleurs juxtaposées jaillissait un paysage composite, étrangement bigarré.

À l'époque pourtant, Moscou était sur le point de se transformer comme sous l'effet d'un coup de baguette magique. La ville commençait d'être saisie par la fièvre des affaires, au même titre que les premières capitales mondiales. La jeunesse de Pasternak coïncidait avec une période de développement exceptionnel pour la Russie. Par sa population et sa superficie, l'Empire russe occupait la première place en Europe et semblait promis à un grand avenir. Du point de vue de la culture et de l'industrie, le pays faisait partie de l'Europe.

« Pourquoi donc les bolcheviks triomphèrent-ils en 1917 ? » Toute sa vie Pasternak fut hanté par cette question. Elle est au cœur du *Docteur Jivago*. Il n'est pas facile pour un État de lancer des réformes radicales destinées à faire passer une immense nation de l'Ancien Régime à une ère nouvelle. Dans cette entreprise, la Russie se heurtait à un problème qui lui était propre, la résistance au changement de la cour des tsars. La société civile russe ne s'était jamais sentie aussi éloignée du pouvoir tsariste, que les milieux de la Cour incarnaient avec leur camarilla de courtisans, leurs bureaucrates à la retraite, leur conglomérat d'hommes d'État ratés et alliés à la couche la plus coriace de la noblesse. Pour affronter cette situation complexe, il aurait fallu un dirigeant d'exception. Mais la providence en avait décidé autrement.

La famille de Pasternak était, elle aussi, animée par la haine de l'autocratie, le mépris des gendarmes et la soif des libertés démocratiques. Dans les dernières décennies du XIXe siècle, l'opinion libérale qui formait l'élite du pays salua la terreur, sympathisa avec les révolutionnaires, leur apporta son soutien. La plupart des radicaux russes ont été des disciples de Tolstoï, l'idole absolue des Pasternak. « Les écrivains humanistes russes de la deuxième moitié du XIXe siècle portent sur eux la lourde faute du sang versé au XXe siècle sous leur bannière », affirmerait plus tard Varlam Chalamov, écrivain russe et martyr du Goulag.

Youri Jivago incarne parfaitement l'idéalisme de la bourgeoisie éclairée d'avant-guerre. Pasternak lui prête ces mots, au début de la Révolution : « Chaque homme est revenu à la vie, s'est senti renaître, tout le monde a connu des transformations, des retournements. On pourrait dire que chacun a subi deux révolutions : l'une personnelle, propre à lui seul, l'autre commune, celle de tous. Il me semble que le socialisme est une mer dans laquelle, comme des ruisseaux, doivent se jeter toutes ces révolutions particulières, personnelles, un océan de vie, d'indépendance. » À la fin du roman, son discours est tout autre. La révolution collective entrave l'épanouissement individuel qu'il faut chercher contre l'Histoire. C'est tout le cheminement intellectuel de Pasternak qui se concentre dans ces pages denses et saisissantes.

## « Elle a bougé,
## notre bonne vieille Russie... »

*Elle a bougé, notre bonne vieille Russie, elle*
*ne tient plus en place, elle ne se lasse plus de*
*marcher, de parler. Et pas les hommes seulement.*
*Ce sont les étoiles et les arbres qui se sont réunis*
*et qui s'entretiennent, les fleurs de nuit qui*
*philosophent et les maisons de pierre qui tiennent*
*des meetings.*

Le Docteur Jivago

Le 1er août 1914, l'Allemagne déclarait la
guerre à la Russie.

La Grande Guerre changea radicalement
le destin de la génération à laquelle Pasternak
appartenait. « En quelques jours, nous avons
vieilli de cent ans », écrivait alors son amie
la poétesse Anna Akhmatova. Au début, les

premières victoires exaltèrent le patriotisme de Pasternak. Je l'entends convaincre ses amis : « La Sainte Russie sait rassembler ses milliers de cœurs battants, elle triomphera ! » Il fut envahi par le même enthousiasme qui courait dans les rues. La mobilisation était joyeuse et résolue. Il partageait cette certitude unanime que la guerre ne durerait pas et serait la dernière en Europe. Réformé à cause de sa claudication, il ne put aller au front. Une bourrasque nationaliste aussi soudaine que brève balayait l'atmosphère révolutionnaire d'avant-guerre. « L'âme collective ne s'était pas exprimée aussi fortement depuis 1812 », rapporta l'ambassadeur français Paléologue. La session solennelle de la Douma du 8 août 1914 manifesta avec force le rassemblement des peuples de l'Empire autour du tsar.

La vie de Pasternak continuait normalement. Il admirait les soldats qui partaient gaiement pour la guerre, les encourageait. Mais la situation militaire allait se détériorer rapidement. L'hiver 1914 fut rigoureux, on manquait d'armement et d'approvisionnement, le commandement était indécis. L'armée attribua ses premiers échecs à l'efficacité de l'espionnage allemand. Pasternak comme d'autres comprirent alors que la guerre serait longue. Le moral du pays en fut profondément affecté.

En mars 1915, Boris se plaça comme professeur à domicile dans une magnifique maison de l'époque de Catherine II, entourée par un parc. Cette demeure, qui serait détruite en 1917 comme celles de nombreux nobles, appartenait à Philipov, un industriel d'origine allemande. Il était richissime, cultivé, et se plaisait dans la compagnie de Pasternak. Une fois les leçons finies, ils passaient de longues soirées à discuter d'art et de politique. Philipov conçut immédiatement un grand respect pour l'intelligence et les dispositions artistiques du jeune précepteur.

À l'époque, le poète n'était plus dupe : « Les chefs politiques et militaires sont incapables de mener correctement la guerre. Ils sont gagnés par l'apathie, le désarroi et l'anxiété... » À l'automne 1915, les deux tiers des soldats russes aguerris et disciplinés qui furent envoyés au front furent tués ; les quatre cinquièmes des officiers avaient disparu... L'état-major fut dans l'obligation de faire appel à des classes d'hommes plus âgés et moins formés. La même année, le ministre de la Guerre avait mis en œuvre une « mobilisation totale », analogue à celle déjà pratiquée en Allemagne, en France et en Grande-Bretagne. Les premières mesures de réquisition des vivres et des matières premières entraînèrent des pénuries, puis une inflation de près de 300 %.

À l'automne suivant, la Russie comptait ses morts : près de 2 millions d'hommes, plus que l'Allemagne, la France ou la Grande-Bretagne n'en subiront chacune pendant quatre ans de conflit. Le 7 février 1917, le tsar Nicolas II quittait Petrograd – c'est ainsi que Saint-Pétersbourg avait été rebaptisée en 1914 – et s'installait au quartier général des armées à Moghilev, à environ 700 kilomètres au sud de la capitale. Les événements qui suivirent bouleversèrent le destin de la Russie à jamais.

À Petrograd, le 23 février, par une belle journée d'hiver, les premiers troubles éclatèrent de façon très ordinaire : de l'agitation devant un magasin, des appels à la grève et des bagarres entre ouvriers et contremaîtres. Le grand froid (– 40 °C) paralysait les transports et privait la ville de la farine et du combustible nécessaires aux boulangers. Selon les rumeurs, la capitale manquait de pain. Les grèves commencèrent dans les quartiers nord de la ville, avec plusieurs pillages. En réalité, Petrograd n'était menacée ni de disette ni de famine.

De nombreux ouvriers rejoignirent la perspective Nevski, abandonnant leurs usines. Ils réclamaient du pain. Un tramway fut bloqué par la foule. Les forces de l'ordre ne s'y opposèrent pas. On n'entendit pas une détonation, aucun slogan, on ne vit pas non plus de drapeaux rouges. Dès le matin du 24 février, des meetings rassemblaient 150 000 personnes.

Soudain le premier coup de feu de la Révolution éclata : un tir de revolver par un manifestant contre une patrouille de police. Les affrontements commencèrent. Les fiacres furent détournés, les tramways immobilisés. Un premier drapeau rouge jaillit au sein d'une foule. Au fil de la journée les débrayages se généralisèrent. Désormais 200 000 ouvriers, soit les deux tiers des effectifs des usines de la capitale, étaient en grève. Le soir venu, la ville semblait à nouveau paisible. Les magasins avaient fermé avant l'heure, les habitants n'osaient pas sortir. Le lendemain, les meetings, les agressions et les pillages repartirent de plus belle. Un colonel de la police fut massacré par des manifestants, d'autres officiers pourchassés et tués devant les forces de l'ordre indifférentes, parfois même avec leur concours. Le traumatisme du « dimanche sanglant » de 1905 était toujours présent dans les esprits, paralysant la police. Ce jour-là, l'armée avait réprimé dans un bain de sang une manifestation populaire sur la place du Palais d'Hiver à Saint-Pétersbourg. En 1927, Pasternak consacrerait un poème inspiré par ces événements décisifs de l'histoire russe en rendant hommage à un héros de la révolution de 1905, « Le lieutenant Schmidt ». Ce texte qui rappelle les promesses des journées révolutionnaires – assemblée parlementaire élue, droits syndicaux et de grève, réforme agraire – est une critique à peine voilée du régime stalinien. Il serait traduit en français par Elsa Triolet, la fameuse Elsa de Louis Aragon. D'origine russe, Elsa et sa sœur Lili Brik, compagne de Maïakovski, étaient proches des milieux révolutionnaires.

Les mutineries de soldats donnèrent à la révolte sa dimension historique : les troubles tournèrent à l'émeute. Partout la police fut laminée, les drapeaux rouges se multiplièrent. La foule était désormais persuadée de la bienveillance des troupes, elle cessa de craindre les forces de l'ordre. Dorénavant le pouvoir appartenait à la rue.

Le 27 février au soir, les restaurants, cafés, cinémas et théâtres de la ville étaient fermés. On entendit des fusillades et des tirs en l'air. La chasse aux officiers et aux sergents de ville battait son plein. Le lendemain, le jour se leva dans un brouillard impénétrable, dans l'humidité et le froid. La principale citadelle de l'Empire, la forteresse Pierre-et-Paul, hissait le drapeau rouge ! Sur les portes et les grilles du Palais d'Hiver, on détruisit les aigles et les monogrammes impériaux. L'escorte personnelle du tsar se rallia à la Révolution. Un drapeau rouge flottait maintenant sur le Palais d'Hiver...

Comme la majorité des représentants de l'intelligentsia russe, les Pasternak étaient ravis de la tournure que prenaient les événements. Le père du poète pleura de joie quand, le 2 mars, un gouvernement provisoire fut formé sous le soleil étincelant qui se levait au bord de la Neva. La rumeur de l'abdication du tsar se répandit. On commença à brûler les armoiries impériales. Nicolas II rédigea un télégramme adressé au quartier général (la Stavka) et au président de la Douma, annonçant son abdication en faveur de son frère Michel, qui se désista presque aussitôt. C'était la fin de la dynastie des Romanov.

Boris Pasternak apprit la nouvelle en Oural, où il avait été envoyé dans une usine chimique pour soutenir l'effort de guerre. Ce fut un tremblement de terre. Il n'avait plus qu'une obsession : «Je dois rentrer à Moscou!» Il loua la première *kibitka*, un traîneau recouvert d'une capote amovible, et fonça droit vers la capitale. Il faut imaginer la ferveur du jeune homme : «Je ne peux pas manquer un événement si considérable. Enfin! Serait-ce la fin de ces tsars criminels? La révolution serait-elle possible?»

Les Pasternak furent tous saisis par la fièvre révolutionnaire qui gagnait toute la Russie. Les nouvelles confirmèrent la propagation des événements, avec une rapidité vertigineuse, à tout le pays. Les troubles aussi s'étendirent, avec leur lot de pillages, de justice expéditive et de révoltes paysannes. Les premières terres furent saisies, les propriétaires dépossédés s'enfuyaient... Désormais la Russie tout entière était en ébullition. Moscou et Petrograd étaient les principaux théâtres des rassemblements à ciel ouvert. Les discussions fiévreuses ne cessaient pas dans les rues. Le printemps de 1917 fut noyé de mots.

Cette ambiance survoltée enthousiasma Pasternak, particulièrement séduit par les talents oratoires du dirigeant emblématique du gouvernement provisoire, l'avocat Alexandre Kerenski. Même après le coup d'État de Lénine d'octobre 1917, Pasternak salua la Révolution, la comparant à « un ouragan gigantesque, une bourrasque de neige, un tourbillon effréné de forces irrationnelles déchaînées dans la ville fondée par Pierre le Grand ». Ce maximalisme romantique portait la période révolutionnaire à des dimensions cosmiques.

Leonid Pasternak se rendit à Petrograd et rapporta en détail à Boris les manifestations contre la pénurie de pain, les heurts avec la police, les émeutes, les pillages, le couvre-feu... La révolution de février 1917 était populaire, spontanée. Aux yeux du fils, elle était parfaitement inattendue. L'écrivain Valentin Kataïev, qui fut le voisin de Pasternak à Peredelkino, me raconta que pendant leurs conversations dans les terribles années 1940, le poète revenait constamment sur ces épisodes, cherchant à reconstituer semaine par semaine les journées de 1917 à partir des récits de son père et de sa bien-aimée de l'époque, Elena Vinograd. « Cela sembla si rapide, si simple… »

Mais *Le Docteur Jivago* raconte bien plus que les seuls événements historiques. Si les journées de 1905 sont précisément évoquées, celles de 1917 le sont de façon plus détournée, à travers la description du peuple russe, de ses espoirs, de ses désillusions et de ses souffrances. Les événements historiques s'effacent au profit de la temporalité intime des personnages. L'Histoire se tient au second plan. « C'est toute l'âme du peuple russe qui a changé, en si peu de temps », répétait-il à qui voulait l'entendre.

Youri Jivago achève ses études de médecine et épouse la fille de sa famille adoptive. Durant la Première Guerre mondiale, alors qu'il sert dans un hôpital de campagne dans le sud de la Russie, il rencontre une infirmière, Lara Antipova, dont il tombe amoureux. En rejoignant ses proches en 1917, Jivago débarque dans un Moscou métamorphosé. Contrôlée par les Rouges et victime des excès de la Révolution, la capitale n'est plus qu'une ruine. Disparu, l'ancien univers patriarcal de la Russie éternelle adoré par Pasternak…

L'enthousiasme de Jivago pour l'action bolchevique disparaît. Fuyant le typhus, lui et les siens se rendent à leur domaine dans l'Oural. Il y retrouve Lara dont l'époux est au loin, avec l'Armée rouge. L'amour de Jivago pour Lara est alors consommé, bien qu'il soit ébranlé par son infidélité. Capturé par les combattants de l'Armée rouge qui le contraignent à s'engager comme médecin sur le front, Jivago est témoin des atrocités de la guerre civile. Il déserte le combat révolutionnaire. Sa famille, qui le croit mort, a fui le pays. Il s'installe alors avec Lara. Quand les combats se rapprochent, ils se réfugient dans la propriété de Varykino. Durant quelque temps, le monde extérieur disparaît, la muse de la poésie revient inspirer Jivago. Mais les loups qui hurlent au-dehors sont un signe annonciateur de la mort de leur amour. La fin de la guerre civile et l'affirmation du pouvoir bolchevique séparent le couple à jamais : Lara s'enfuit en Extrême-Orient russe, et Jivago rentre à Moscou où il meurt en 1929. Il laisse derrière lui un recueil de poèmes qui constitue le dernier chapitre du roman, testament artistique du héros et de Pasternak.

L'écrivain dépeint les privations, les violences et la haine qui animent la ville comme la campagne, telles que les voit son héros qui n'appartient à aucun camp, qui doute et souffre de ses ambiguïtés. Selon lui, la révolution de Février se développa sans scénario ni metteur en scène, indépendamment de la volonté des hommes. Pasternak y décelait un trait mystique propre à l'histoire russe. Dans un ajout postérieur à son *Essai d'autobiographie*, Pasternak écrirait : « En ce fameux été 1917, dans l'intervalle séparant les deux échéances révolutionnaires, ce n'étaient pas seulement les hommes, aurait-on dit, c'étaient les arbres, les chemins et les étoiles qui tenaient des meetings et faisaient des discours. » Jivago utilise les mêmes mots pour décrire à Lara ses impressions sur la Révolution, la première fois qu'il s'entretient avec elle, lors d'un tête-à-tête sur le front qui tourne court : « Elle a bougé, notre bonne vieille Russie, elle ne tient plus en place, elle ne se lasse plus de marcher, de parler. »

En février, en effet, tout était encore possible : la révolution bolchevique n'était pas inéluctable, l'alternative existait. Certes, Pasternak n'était pas sans savoir que la situation concrète à Petrograd prenait une tournure dramatique. Les queues s'allongeaient devant les magasins, les manifestations se multipliaient, des rumeurs circulaient. Les pillages et les cambriolages étaient fréquents. Les bolcheviks, représentant l'aile révolutionnaire la plus radicale, guidés par un homme politique d'exception, Lénine, décidèrent de combattre le gouvernement provisoire à la faveur de ce climat d'anarchie.

Pasternak fut toujours persuadé que sans la volonté «surhumaine» de Lénine, la révolution bolchevique n'aurait jamais eu lieu. Il serait difficile, en effet, de trouver dans l'Histoire un homme politique aussi zélé à travailler à la défaite de son propre pays ! Avec son intuition poétique, Pasternak comprit avant tout le monde que Lénine réussirait à imposer un changement radical de stratégie politique, écartant les autres socialistes et effrayant l'opinion publique. Cela se fit en quelques mois.

Pasternak était de plus en plus perplexe face à l'action du gouvernement provisoire. La guerre était massivement rejetée par la population et par l'armée elle-même. On comptait alors 6 millions d'hommes mobilisés et 2 millions de déserteurs. Le leader bolchevique appela à la création d'une milice ouvrière, d'une Garde rouge, à l'armement général du peuple, à l'offensive tous azimuts contre le gouvernement provisoire, à la scission du Soviet jugé trop complaisant, à la réquisition immédiate des terres, à la révolution ouvrière mondiale et, surtout, à l'arrêt de la guerre.

*« C'est octobre. L'anneau des grèves.*
*Ô vent ! Ô suppôt de l'enfer[6] ! »*

Le 3 juillet 1917, sur les instructions de Lénine, une foule d'ouvriers et de soldats se dirigea vers le palais de Tauride où se tenait le Soviet de la ville : « Nous réclamons la déposition du gouvernement provisoire et la prise de pouvoir par le Soviet ! » Les manifestations se renouvelèrent les jours suivants, mais le gouvernement provisoire fit venir des troupes dans la capitale et les membres du Soviet ne bougèrent pas. L'émeute s'arrêta d'elle-même.

Le 16 juillet, 10 000 soldats révolutionnaires menacèrent le gouvernement provisoire devant le palais Marie de Petrograd. Un gigantesque soulèvement populaire vint soutenir les ministres jusque dans la nuit. Les colonnes d'ouvriers armés venues de la périphérie arrivèrent le lendemain, mais n'osèrent pas braver l'opinion majoritairement hostile à l'émeute et favorable au gouvernement. Le moment était propice… Mais Kerenski ne saisit pas l'occasion d'arrêter Lénine. Les ministres du gouvernement se réjouirent à tort de ce « vrai faux » retour au calme. Les partisans de Lénine, encore très minoritaires, étaient pourtant partout, et leur propagande faisait des ravages.

Après l'échec de ces Journées de juillet, Lénine et quelques chefs bolcheviques passèrent à la clandestinité. Beaucoup d'autres furent arrêtés. Kerenski, devenu Premier ministre, lança de nombreuses réformes politiques, judiciaires et sociales, mais ne s'attaqua pas à l'essentiel : la réforme agraire. Pour Pasternak, ce fut un désenchantement : « Son gouvernement n'enraye pas les difficultés d'approvisionnement… Et s'il décide de poursuivre la guerre, il va contre l'opinion publique. »

Survint alors, fin août, l'affaire Kornilov. Ce général, populaire pour son étonnante évasion alors qu'il était prisonnier pendant la guerre (il faussa compagnie aux 45 hommes qui le gardaient), avait été nommé en catastrophe commandant de la région de Petrograd par le régime impérial. Depuis juillet, il était au commandement suprême de l'Armée. La Russie était en train de sombrer et le général Kornilov lança un appel de détresse. Cela n'avait rien d'un putsch, mais Kerenski le fit croire. C'était lui qui avait fait venir à Petrograd des troupes du front, auxquelles il renonça en cours de route ! Il fit passer leur arrivée pour un coup d'État et appela toutes les forces révolutionnaires à leur barrer la route, y compris les bolcheviks qu'il venait de réprimer après les Journées de juillet ! Cet épisode renforça considérablement les positions des bolcheviks. Avec l'aide de ces derniers, le gouvernement provisoire arrêta le général Kornilov, qui réussirait de nouveau à s'évader, combattrait et mourrait pendant la guerre civile.

Pasternak restait lucide devant le retour en grâce des bolcheviks. Les discussions devaient être vives : « En dehors de la volonté phénoménale de Lénine, les bolcheviks n'ont aucun atout. Leurs idées politiques sont vagues, dénuées de programme économique sérieux. Seul Lénine peut les mener au pouvoir. Il en est bien capable… » Il ne pensait pas si bien dire. La prise de pouvoir bolchevique s'opéra d'une manière extraordinaire.

L'écrivain fut particulièrement impressionné par la combinaison de deux génies : celui stratégique de Lénine et celui, organisateur et oratoire, de Trotski. Chacun des leaders bolcheviques avait des raisons personnelles de combattre le régime tsariste : Lénine pour venger la mort de son frère aîné pendu à 19 ans après avoir préparé un attentat contre le tsar, Trotski pour s'engager contre la persécution des Juifs. Staline, en tant que Géorgien, se battait pour des motifs politiques et nationaux.

La situation dans le pays ne cessait d'empirer. Les paysans s'emparaient des terres et se soulevaient ; les soldats désertaient puis retournaient dans leurs villages en se livrant à d'épouvantables pillages. La production s'effondra ; les prix et le chômage augmentèrent tandis que les grèves se généralisaient à toutes les branches de l'industrie. Dans le domaine politique, les choses n'allaient pas mieux : les bolcheviks progressaient si rapidement dans les élections aux Soviets de soldats et de paysans que début septembre, ils conquirent la majorité à Moscou et Petrograd, puis dans bien d'autres villes. Dans la capitale de l'Empire, des masses énormes de déserteurs campaient dans les rues, des foules considérables se déplaçaient d'un bout à l'autre de la ville pour se rendre aux manifestations. Partout, l'inquiétude et le désordre triomphaient.

Pour Pasternak, une chose était claire : le mouvement engendré par la révolution de Février s'était éclipsé. Kerenski et son gouvernement adoptaient un comportement suicidaire. « Lénine est trop habile pour ne pas profiter de

la situation. Nous n'avons pas encore tout vu »,
analysait-il. La révolution d'Octobre fut exaltée
par beaucoup d'intellectuels pour son efficacité,
notamment par l'Américain John Reed dans son
célèbre livre *Dix jours qui ébranlèrent le monde*
(1919) et par Eisenstein dans son film *Octobre*
(1927). Pourtant, elle ne fut même pas un coup
d'État, juste un putsch efficace et rapide qui
entraîna l'effondrement immédiat du régime. Ce
fut une révolution fascinante.

Petrograd semblait calme mais, sous la surface
scintillante, la ville dansait la valse frénétique
des derniers plaisirs. Le champagne coulait
à flots, les joueurs risquaient des dizaines de
milliers de roubles sur un coup. Dans le centre,
le soir, des prostituées en fourrure luxueuse et
parées de bijoux faisaient les cent pas, se pres-
saient dans les cafés. Les actes de banditisme
avaient pris une telle ampleur qu'il était devenu
dangereux de s'aventurer dans les ruelles. De
mystérieux individus rôdaient autour des
femmes grelottantes qui, pendant de longues
heures glaciales, faisaient la queue pour du pain
et du lait. Ils chuchotaient que les Juifs avaient
accaparé les stocks alimentaires. On parlait de
complots monarchistes, d'espions allemands, de
contrebandiers... La Russie, selon la formule de
Pasternak, était « prête » pour la révolution. Des
aristocrates vendaient des trésors inestimables

au coin des rues, la pénurie alimentaire empirait tandis que les riches dînaient encore au Donon et au Constant, les deux restaurants chic de la ville, et que les bourgeois se battaient pour entendre le célèbre chanteur lyrique Chaliapine.

Dix jours avant le coup d'État, les Gardes rouges, placés sous la conduite de Trotski, s'entraînaient méthodiquement au centre de la cité, au milieu du tumulte et à visage découvert. Les autorités ne les remarquèrent pas. Les révolutionnaires partagèrent la ville en secteurs, définissant pour chacun les points stratégiques (gares et chemins de fer, bureaux de télégraphe, centrales électriques, ponts sur la Neva et autres organes techniques de la machine gouvernementale). Ils adjoignirent des ouvriers spécialisés aux commandos de soldats. Dans son *Histoire de la Révolution russe*, Trotski écrit que 25 000 à 30 000 personnes tout au plus ont pris part aux événements d'Octobre à Petrograd, une ville de 2 millions d'habitants dans un pays de quelque 150 millions. Quant à Lénine, il ne cachait pas son mépris pour les masses et leur incapacité à savoir faire autre chose que survivre.

Kerenski, lui, qui ne se préoccupait pas de la défense des organismes politiques et bureaucratiques, fit preuve, quatre ou cinq jours avant le coup d'État, d'une étonnante légèreté. Vers 2 heures du matin, le 25 octobre, les troupes bolcheviques entraient et se frayaient un chemin dans le Palais d'Hiver, tandis que sur les boulevards et les ponts près du Palais, le grondement des canons dispersait les curieux. Les ministres du gouvernement provisoire continuaient de mener un débat surréaliste sur le choix d'un «dictateur». Ils étaient assis à leur table recouverte d'un drap vert, dans la salle or et malachite aux tentures de brocart cramoisi où Nicolas II et sa famille dînaient avant 1905. À cet instant même la porte s'ouvrit. Un petit homme surgit. Il admira la pièce dont la splendeur coupait le souffle. Des colonnes de malachite et de lapis-lazuli, couronnées de bronze doré, lui donnaient des proportions exceptionnelles. C'était Lénine. Le jour se fit, selon John Reed, «sur une ville en proie à l'agitation et au désordre les plus effrénés».

L'opération avait été étonnamment facile, mais la lutte à mort pour conserver le pouvoir débuta immédiatement. Kerenski réussit à s'enfuir de la capitale. Le soir même, le second Congrès panrusse des Soviets se réunit à l'institut Smolny. Le putsch était presque terminé et la majorité bolchevique du Congrès le confirma. Ainsi commencèrent soixante-treize ans de communisme.

Pasternak était persuadé que l'Histoire avançait au rythme des tragédies. Dans son roman, il décrit l'anarchie qui avait commencé à se répandre, notamment sur le front, compte tenu de l'importance des sacrifices exigés, mais également dans les campagnes. «Le seul levier de la volonté individuelle de Lénine a suffi à renverser le colosse aux pieds d'argile», se disait Boris en contemplant par la fenêtre la ville qui s'apprêtait à changer de visage. Lénine se retrouva, du jour au lendemain, à la tête d'une immense nation, sans programme. Il déclara, en entamant en public une sorte de danse festive, que la durée de la Révolution avait déjà dépassé d'un jour celle de la Commune de Paris – ce en quoi il voyait déjà un formidable exploit.

Au matin du 25 octobre, des affiches placardées dans toute la ville annonçaient le renversement du gouvernement provisoire et la prise du pouvoir par les Soviets. Ce soir-là, on donnait *Casse-Noisette* au théâtre Marie. Les journaux passaient de main en main, le public commentait les dernières nouvelles. Quelques jours plus tard, Moscou tombait aux mains des bolcheviks, après une semaine de combats acharnés.

Le premier gouvernement soviétique fut formé avec Lénine comme président, Trotski, commissaire aux Affaires étrangères, et Staline, commissaire aux Nationalités. Désormais le pouvoir était entre les mains des bolcheviks, Lénine dévoila alors sa stratégie. Son premier «décret sur la paix» appelait à une «paix sans annexions ni contributions». Son deuxième «décret sur la terre» abolissait sans indemnisation la propriété privée de la terre, assurant dans l'immédiat aux bolcheviks le soutien essentiel de la grande majorité des paysans. Il fut bientôt suivi d'une loi sur la «socialisation de la terre» prônant l'idée d'une jouissance égalitaire. Un troisième décret institua le «contrôle ouvrier» sur les entreprises, un autre abolit la peine de mort.

Pasternak le comprit vite: «Tout cela n'est qu'un coup de bluff! En réalité, Lénine viole les promesses de paix démocratique, de pain et de liberté.» En même temps, le régime bolchevique créait l'idée d'un danger mortel, celui de l'encerclement capitaliste. Toute l'élite bolchevique fut contaminée par cette suspicion paranoïaque, renouant avec la vieille hantise nourrie par les tsars de la «citadelle assiégée». Il y eut une corrélation directe entre l'émergence de la dictature bolchevique et cette inquiétude archaïque. Les bolcheviks étaient persuadés qu'ils avaient été portés au pouvoir dans une fièvre inédite que la Russie réactionnaire pouvait à tout moment dissiper, avec le soutien des anciens cadres de l'armée, d'une partie des paysans et des cosaques. Seule la terreur pourrait en venir à bout. Dans sa dernière lettre, Raspoutine, l'homme de l'ombre de Nicolas II et de la tsarine, n'avait-il pas prédit l'assassinat de la famille impériale, ainsi que « des fleuves de sang versés sur la terre russe » ? « Et si le vieux sorcier avait eu des visions prémonitoires ? » s'interrogeait Boris dans ces premières journées de novembre. La tragédie de la Révolution, impitoyable et sanglante, que Pasternak déchiffrerait quarante ans plus tard dans *Le Docteur Jivago*, était en marche.

Pasternak vécut les événements révolutionnaires d'octobre 1917 à Moscou où il louait une chambre dans le quartier de l'Arbat. Les affrontements y durèrent plus d'une semaine. Les meetings se tenaient partout. Au premier jour de l'insurrection, Pasternak raconta le coup d'État à son jeune frère, Alexandre, alors âgé de 24 ans : « Des combats de rue se poursuivent dans Moscou, où les militaires fidèles à l'ancien régime tentent en vain de repousser les hordes d'insurgés qui dressent des barricades, pillent les maisons et exécutent sur place les suspects d'apparence bourgeoise. » Sa bien-aimée de l'époque, Elena, tenait à cet égard des propos fumeux qui justifiaient tous les abus. Pour elle, faire l'amour et faire la révolution formaient les deux facettes d'une « éruption du volcan charnel »... Boris était loin d'être insensible à cette rhétorique. Il souriait en écoutant la jeune femme qu'il admirait.

Les deux sœurs de Boris Pasternak, Joséphine et Lydia, gardèrent aussi le souvenir des descriptions exaltées de ces moments historiques par leur frère. Pendant des jours, les tirs de mitrailleuse et l'explosion des obus avaient été rythmés, écrivait-il, par « le cri perçant des martinets et des hirondelles ». En octobre 1917, le poète faisait le parallèle entre l'histoire et la nature. Cela devint le leitmotiv lyrique de son recueil *Ma sœur la vie* composé cette même année. Voici ce que Pasternak écrit au sujet de la poésie :

> *C'est un bruit de glaçons écrasés, c'est un cri,*
> *Sa strideur qui s'accroît et qui monte,*
> *C'est la feuille où frémit le frisson de la nuit,*
> *Ce sont deux rossignols qui s'affrontent,*
>
> *[...]*
>
> *On étouffe, plus plat que les planches sur*
>  *l'eau,*
> *Et le ciel est enfoui sous une aune.*
> *Il siérait aux étoiles de rire aux éclats,*
> *Mais quel trou retiré que ce monde !*

Pasternak compara ainsi le mouvement de la foule révolutionnaire à la poussée puissante et inéluctable de la nature, comme s'il s'agissait d'une fatalité mystique. Il fit même l'éloge étonnant de la révolution bolchevique : « Quelle magnifique chirurgie. Un, deux, trois, et l'on vous crève artistement les vieux abcès fétides!» Jivago ne s'exprime pas autrement dans le roman, et son auteur lui prête les pensées du jeune homme qu'il avait été: «... c'est un miracle de l'histoire, cette Révélation braillée en plein dans la vie de tous les jours, et sans égards pour elle. Ça ne commence pas au commencement, mais en plein milieu, [...] un jour comme les autres, pendant que les tramways continuent tranquillement à circuler.» Boris arpentait Moscou avec le sentiment qu'un âge nouveau s'ouvrait enfin, de liberté et d'égalité.

Les charges contre la philosophie et ses nuées, dans *Le Docteur Jivago*, sont celles d'un homme convaincu d'en avoir été la victime et le complice. Lara parle avec amertume de Pacha, son mari, devenu Strelnikov, implacable idéologue de la Révolution, victime des dangers de l'abstraction: «Alors le mensonge vint sur la terre russe. Le principal malheur, la source du mal à venir, fut la perte de la foi dans la valeur de l'opinion personnelle. On imagina que le temps où l'on écoutait les suggestions du sens moral était révolu, que maintenant il fallait emboîter le pas aux autres, et vivre d'idées étrangères à tous et imposées à tous. La tyrannie de la phrase n'a cessé de croître depuis, d'abord sous une forme monarchique, ensuite sous une forme révolutionnaire.»

Pasternak écrit aussi dans son roman qu'avec la Révolution, « la Russie tout entière avait perdu "son toit" ». L'expression russe signifie « perdre ses esprits ». Cette phrase est celle de l'homme de la maturité. *Le Docteur Jivago* raconte donc l'enthousiasme puis la désillusion des temps postrévolutionnaires. Mais en 1917, le jeune artiste gonflait ses poumons de l'air de la Révolution, persuadé de respirer enfin sainement.

Tous ces événements ont joué un rôle capital dans l'existence de Boris Pasternak : « La révolution russe est l'essence de ma vie et de mon œuvre. » C'est ce qu'il déclara haut et fort. Son destin fut un parfait symbole de cette génération à cheval entre le XIX$^e$ et le XX$^e$ siècle. Il aura tout connu : la douceur de la vie dans le milieu moscovite au début du XX$^e$ siècle, le vertige de l'illusion de la révolution russe de 1917, le désenchantement, puis les pièges de Staline dans les années 1940, avant de devenir l'adversaire convaincu du régime soviétique.

Le 3 mars 1918, à Brest-Litovsk, en Biélorussie, les empires centraux signaient un traité avec la Russie des Soviets. L'armée russe désorganisée n'avait pas pu contenir l'avancée germano-autrichienne dans la partie russe de la Pologne, une partie de la Russie blanche et de la Lituanie. Lénine jugea que la prolongation de la guerre serait nuisible au triomphe définitif des idées révolutionnaires… Il était favorable à une paix séparée, fût-ce au prix de lourds sacrifices territoriaux, y compris la perte de l'Ukraine. En abandonnant des morceaux de la terre russe, il estimait sauver la Révolution.

La paix avec le monde ne signa malheureusement pas la paix en Russie. À la guerre internationale succéda la guerre civile.

## «Sur tes cils fond la neige»

Deux personnes contribuèrent à l'évolution de Pasternak. La première fut le poète emblématique du futurisme, Vladimir Maïakovski. Pasternak suivait avec enthousiasme ce mouvement artistique réclamant la rupture avec le passé, vantant les mérites de la technique et de la vitesse. Il fut particulièrement impressionné par le poème de Maïakovski « Ordre du jour de l'armée de l'art », paru en décembre 1918 dans une revue communiste :

> *Les rues sont nos pinceaux*
> *Les places nos palettes.*
> *[...]*
> *Dans les rues, futuristes,*
> *Dans les rues, tambours et poètes !*

Les actions de ce mouvement ne se limitaient pas à la littérature ou la peinture, elles concernaient aussi les mœurs et même l'amour. Les artistes exigeaient que tout soit orienté vers l'action concrète immédiate, contre les formes aliénantes du quotidien figé. Provocateur, toujours habillé d'une manière originale, Maïakovski aimait s'afficher avec des femmes très maquillées pour se faire remarquer, vêtu de son célèbre blouson jaune. La bonne société littéraire ne se privait d'ailleurs pas de le fustiger ; on le traitait volontiers de *hooligan* et l'accusait d'être un fauteur de trouble. Pasternak le décrivait comme un hybride de matador espagnol et de héros mythique, précisant : « Pour ne pas l'imiter, j'ai commencé à gommer en moi-même tout ce qui pouvait lui ressembler. Cela a épuré ma manière d'écrire car le ton héroïque et surtout le désir d'épater n'étaient pas en moi. »

L'autre figure qui influença Pasternak fut son amie Elena Vinograd. Le poète la voyait à Moscou en 1917. Elena avait une beauté étrange, un visage au hâle d'ambre, de superbes cheveux sombres et des yeux noirs qui inspirèrent l'homme autant que le poète. À la sortie de la Haute École des femmes, Elena était imprégnée d'idées révolutionnaires. Elle avait lu un tract destiné aux jeunes et les incitant à participer à la création d'organismes locaux d'autogestion. Elle partit spontanément dans la région de Saratov, au centre du pays. Pasternak lui écrivait presque tous les jours et allait souvent l'y rejoindre.

Le recueil *Ma sœur la vie* parut à l'été 1917. Ces poésies reconstituent ses longues promenades avec Elena à travers les ruelles sinueuses de Moscou et dans les petites villes de province. Leurs relations n'étaient pas faciles, car la jeune fille était marquée par la disparition de son fiancé au front. Main dans la main ils marchaient ensemble et devaient échanger fiévreusement.

« Le bonheur n'existe pas, Boris. Ne t'acharne pas à le chercher auprès de moi. J'en suis incapable, assenait-elle tandis que leurs pieds foulaient les rues brûlantes.

– Je pourrais te le donner, si tu me laissais t'approcher, vraiment », insistait Boris.

Mais elle refusa toute intimité physique avec Pasternak, situation qu'il allait connaître, bien plus tard, avec sa seconde femme Zinaïda.

Au printemps de l'année 1918, la jeune fille épousa finalement le propriétaire d'une manufacture située dans le centre de la Russie, destinée à être bientôt nationalisée par les bolcheviks. Les vers déchirants consacrés à cette femme resteront gravés dans les annales de la poésie mondiale. C'est sous l'influence de sa bien-aimée que Pasternak conserva ses illusions face aux dirigeants de la Révolution. Il observa de près le fondateur de l'État soviétique, Lénine, lui consacrant l'un des meilleurs portraits de toute la littérature russe dans une description du IXᵉ Congrès des Soviets.

Pasternak eut l'occasion de converser longuement avec Léon Trotski, l'autre révolutionnaire qui le fascinait. Celui-ci lui reprochait de se tenir à l'écart de l'actualité. « Mais *Ma sœur la vie* est révolutionnaire dans le meilleur sens du terme ! » rétorqua le poète. Pasternak s'intéressa particulièrement à l'itinéraire du fondateur de l'Armée rouge en préparant *Le Docteur Jivago*. Il se renseigna en détail sur la vie de Trotski, commissaire du peuple à la Guerre. Celui-ci s'était attribué un train personnel, quartier général ambulant, impressionnant et efficace. Il avait choisi plusieurs voitures dont un wagon-salon confortable qui était, avant la Révolution, celui du ministre des Voies de communication. Il l'aménagea en bibliothèque et salle de conférence.

Depuis son train légendaire, Trotski menait une guerre sanglante sans se soucier des souffrances des habitants de son pays. Il dictait rapports et instructions, coordonnait les ordres, recevait les télégrammes. Pour se détendre, il se plongeait dans la lecture de poèmes, notamment ceux de Mallarmé. Pendant plus de deux ans, son train blindé fut son véritable domicile. « En ces années, rédigerait-il dans ses souvenirs intitulés *Ma vie*, je m'habituerai pour toujours à écrire et à méditer avec l'accompagnement des ressorts Pullman et des roues. »

L'élève de Pasternak, le poète Andreï Voznessenski, m'affirma qu'initialement Boris voulait mettre en scène dans son roman le train de Trotski, animal mythique suscitant curiosité, respect et crainte. Il fallait deux locomotives pour tirer ce matériel alourdi par les blindages et surchargé d'équipement : une imprimerie, une station de radio pour capter les émissions européennes, dont celles de Paris-Tour Eiffel, une station de télégraphie, des bains-douches, un atelier de réparation automobile pour permettre à Trotski de passer là où la voie ferrée n'allait pas. Ses voitures étaient équipées de mitrailleuses et ravitaillées par un wagon-citerne. On y trouvait aussi un générateur et des réserves d'armes et de munitions. Le train de Trotski était sans cesse ravitaillé, ce qui constituait une performance. Il tenait également lieu de magasin général où l'on pouvait trouver des cartes, des jumelles, un pistolet Mauser, des médicaments et, pour les plus méritants, des vestes de cuir et des montres. Grâce à son train qui donnait une impression d'ordre, d'organisation mais aussi de vigilance sans mansuétude – le convoi était également une cour martiale roulante –, Trotski était étonnamment mobile. Il parcourut la distance ahurissante de près d'un million de kilomètres. À chaque seconde, la Révolution roulait... C'est ainsi que Trotski inspira à Pasternak le personnage de Strelnikov, l'époux de Lara. Quant à Staline, Valentin Kataïev pensait qu'il avait servi de prototype au frère de Youri Jivago, l'intransigeant Yevgraf.

Au début des années 1920, Pasternak continuait d'observer avec intérêt les élans révolutionnaires. « Les appartements communautaires libéreront la femme des tâches ménagères, de la cuisine et de la garde des enfants ! » déclara Alexandra Kollontaï, prophétesse de l'amour libre et future ambassadrice soviétique. Ces appartements deviendraient le cauchemar des Soviétiques pendant les trois quarts de siècle qui suivraient. L'alphabet fut simplifié, le vocabulaire épuré (*tovaritch*, « camarade », remplaça *gospodine*, « monsieur ») et truffé d'acronymes. Dans les premiers mois qui suivirent le coup d'État bolchevique, les musées de la ville furent fermés : place à l'art dans la rue, au « théâtre spontané », aux *happenings* remémorant les grands moments de la Révolution. Pasternak les considérait avec sympathie. Des immeubles cubistes en béton, en acier, en verre jaillirent au milieu des quartiers rococo ou Art nouveau. Pasternak assista aux débats sur l'avenir du globe, conduits et organisés conjointement par le centre de futurologie et par l'Académie du parti bolchevique. Comme beaucoup de ses compatriotes, le poète s'interrogeait aussi sur une éventuelle réforme du mariage, se posant la question de la légitimité de la vie conjugale et de la famille...

Mais ce romantisme fut atténué par la dure réalité soviétique. L'époque était tragique, on faisait la queue des heures durant pour avoir un peu de bois ou de nourriture. Il fallait s'estimer heureux quand les magasins avaient quelque chose à vendre. Vint le moment où il n'y eut que des épluchures de pommes de terre. Pas question de prendre un tramway ou une voiture. Il y avait belle lurette que les derniers chevaux avaient été mangés. Aussi fallait-il s'atteler aux chariots ou pousser une luge pour transporter les innombrables morts vers leur dernière demeure. Pasternak reconstitua fidèlement cette période dans *Le Docteur Jivago*.

L'écrivain connut également le silence qui régnait dans les rues endormies de Moscou dans les années 1920. Les rares piétons passaient sans hâte, les traits tirés et les habits en loques. Pasternak vendait ses livres pour acheter du pain et se rendait à la campagne pour trouver des pommes de terre. Dans les maisons, le téléphone et l'électricité étaient coupés et l'eau coulait très rarement dans les robinets. On ne se lavait plus. Les plus courageux se brûlaient la peau dans la cendre pour se nettoyer. Seul le pou prospérait, et des plaies qui ne guérissaient pas. Faute de médicaments, la moindre égratignure risquait de s'infecter. Tout le monde avait les mains bandées de chiffons sales. Sur les jambes, les veines éclataient... Les portes cochères étaient condamnées par des planches, comme celle de la maison du père de Boris Pasternak. On utilisait les portes de service. «Je suis obligé de voler, comme tout le monde, expliquait-il, notamment le bois pour me chauffer. Je deviens de plus en plus soviétique... »

Par décision du Soviet qui invoquait le «droit au logement», le grand appartement des Pasternak était devenu communautaire. Plusieurs dizaines de personnes y habitaient. Une seule pièce, l'ancien atelier du père, fut mise à la disposition de la famille. Heureusement, les Pasternak possédaient des amis haut placés, y compris chez les bolcheviks. Ainsi un membre du gouvernement de Lénine, commissaire à l'Éducation publique, intervint en faveur du peintre et le chargea d'immortaliser les leaders du Parti. Ceux-ci furent pour la plupart exécutés par la suite, et beaucoup de tableaux détruits.

La famille finit par obtenir des passeports pour l'étranger. En 1920, le père de Pasternak obtint la permission d'emmener sa femme en Allemagne, prétextant des problèmes cardiaques. Les deux sœurs de Boris les suivirent. Au milieu du mois de septembre 1921, la famille embarquait à destination de Berlin, qui, avec Paris, était un lieu de prédilection pour l'émigration russe. Pourquoi le fils aîné, Boris Pasternak, n'a-t-il pas accompagné ses parents puisqu'il en avait l'occasion ? Trotski en personne garantissait la loyauté de l'écrivain. Mais l'engagement politique n'avait rien à voir avec la décision du poète de rester : pendant l'été 1921, il était tombé amoureux d'une femme qu'il allait bientôt épouser.

Ils s'étaient rencontrés lors d'une fête d'anniversaire. La jeune femme, ravissante dans sa robe verte, attira l'attention de tous les jeunes gens. Pasternak récita quelques vers, mais la belle se montra distraite. « Vous avez raison, lui lança Pasternak, pourquoi écouter tant de bêtises ? » Elle s'appelait Evguénia Lourié et étudiait la peinture. « Je serais très curieux de découvrir votre œuvre. Mais vous êtes également digne d'être peinte », lui dit Boris en souriant. Elle ne tarda pas à céder au charme du jeune homme.

Evguénia avait des yeux étincelants, un nez droit et fin. Sous un air boudeur d'éternelle enfant se cachait un caractère difficile. La frêle et fragile Evguénia était aussi une femme ambitieuse cherchant l'accomplissement artistique.

Deux fortes personnalités peuvent-elles coexister longtemps en toute quiétude ? Une rivalité acharnée s'installa très vite entre eux. Chacun cherchait à s'accomplir comme artiste. La jeune femme ne se voyait pas un destin de muse. La vie du couple devint difficile.

Accompagné de son épouse, Pasternak alla voir ses parents à Berlin. « Pasternak est mal à l'aise à Berlin, écrivit le témoin privilégié de cette visite, le critique et théoricien de la littérature Victor Chklovski. Il me semble qu'au milieu de nous, il ressent un manque d'élan... Nous sommes des réfugiés. Non, pas des réfugiés, des fugitifs... et désormais des occupants... La Russie berlinoise ne va nulle part. Elle n'a aucun avenir... »

Quand Pasternak revint en mars 1923, la Révolution appartenait désormais à l'Histoire. Une histoire qui s'était emparée de la vie de chacun et informait le quotidien. Elle s'imposa au poète non plus comme l'atmosphère féerique d'un été extraordinaire, mais comme le thème central de sa propre destinée. Ce fut d'abord, en 1923, un poème de près de quatre cents vers, « Haute maladie », dans lequel il passe d'une évocation imagée de la vie personnelle et quotidienne sous la Révolution à la vision historique de l'agonie du pouvoir impérial. En 1924, il s'attaqua au thème de la Révolution par le biais de la fiction romanesque, encore nourrie par la veine lyrique : il emprunta à Pouchkine le genre du « roman en vers » pour écrire « Spektorski », dont le héros est un double imaginaire de l'auteur.

En 1925, le vingtième anniversaire de la première révolution russe lui fit abandonner momentanément son entreprise romanesque pour deux compositions en vers de longue haleine : « L'An 1905 », où les souvenirs des journées insurrectionnelles s'associent à une évocation dramatique de la montée du mouvement révolutionnaire, puis le récit poétique « Le lieutenant Schmidt » qui fait revivre le sacrifice et le martyre d'un officier de gauche que les marins mutinés de Sébastopol avaient placé à leur tête, et qui, une fois l'ordre rétabli, fut exécuté. Saluées par la critique officielle comme un retour à la poésie sociale et civique que réclamait la Révolution, ces deux œuvres, maintes fois rééditées, permettraient à Pasternak d'assurer sa situation matérielle, jusque-là très précaire.

En 1927, Staline s'est imposé comme le *vojd*, le « guide », du pays. L'ambition stalinienne évoqua à Pasternak, à certains égards, celle de Pierre le Grand. Le premier objectif fixé par Staline, à la fin des années 1920, était de faire de l'URSS une grande puissance industrielle et militaire. « La Russie a toujours été battue à cause de son retard, expliqua-t-il dans un discours célèbre du 4 février 1931. Nous retardons de cinquante à cent ans sur les pays avancés. Nous devons parcourir cette distance en dix ans. Ou nous le ferons, ou nous serons broyés. » Mais Pasternak posa dès cette époque une question essentielle : « Quel sera le prix à payer pour cette gigantesque entreprise ? » D'où tirer le capital nécessaire au financement de cette industrialisation accélérée ? La réponse des autorités fut immédiate : d'une surexploitation des ouvriers, dont le salaire réel baisserait de moitié au cours du premier plan quinquennal (1928-1933), et des prélèvements massifs de la production agricole à des prix dérisoires. L'exportation des produits agricoles financerait l'achat à l'étranger de biens d'équipement et de technologies indispensables à l'industrialisation, et justifierait la tentation d'instaurer un « second servage ». Plus de 2,5 millions de paysans seraient déportés, 6 millions mourraient de faim lors des grandes famines de 1931-1933, des centaines de milliers de paysans disparaîtraient en déportation. Des centaines de milliers seraient arrêtés et envoyés dans les camps de travail du Goulag lors d'une campagne visant à « liquider les koulaks en tant que classe ».

## « Votre livre est une brûlure »

À presque 40 ans, Pasternak dressait le bilan de son existence. Il souffrait. La dictature rouge entraîna chez lui une grave crise psychologique. Le visage gris, le poète offrait le spectacle d'un homme foulé aux pieds. « Je voulais continuer à vivre, survivre et aimer ! » se plaignit-il. Comme tant d'autres Russes, Pasternak pensait s'accommoder de la sauvagerie du régime. Selon lui, sa vocation poétique était prédestinée à se confronter à la dictature. C'était la volonté divine. Il pressentit dès la fin des années 1920 l'ampleur de la tragédie de son pays. Comment pouvait-il en être autrement ? L'homme russe de ces années avait détruit les anciennes valeurs et inventé des formules creuses pour justifier une expérience sans précédent, admettant l'horreur sous le prétexte obscène qu'« on ne fait pas d'omelette sans casser des œufs ».

Malgré les succès, le poète était considéré par la critique officielle comme un auteur compliqué et inaccessible au grand public. Pasternak voulut remédier à cette situation. Il essaya même de participer au « travail de groupement collectif » animé par Maïakovski. Malgré l'amitié qu'il portait à ce dernier, Boris était profondément déçu par la médiocrité de ses fréquentations. La rencontre avec Marina Tsvétaïéva changea sa vie.

L'histoire commença par un coup de foudre poétique réciproque. Pasternak découvrit les poèmes de la jeune femme qui, de son côté, tomba en arrêt devant le recueil *Ma sœur la vie*. Elle parla d'un « ouragan ». « Pour lire les vers de Pasternak, primo, se racler la gorge, reprendre son souffle, gonfler les poumons ; voici des vers qui devraient être du meilleur usage contre la tuberculose », écrivait déjà Ossip Mandelstam, l'ami de Marina. Elle écrivit alors à Pasternak : « Votre livre est une brûlure. Il n'y a que vous, vous êtes seul pour moi. » « J'ai été entraînée comme dans un déluge… un déluge de lumière », précisa-t-elle encore dans une revue.

Ils se croisèrent, parfois et par hasard, à Moscou. Avec Akhmatova, Mandelstam et Pasternak, Tsvétaïéva fut sans conteste l'un des grands poètes russes de ce siècle. Celle que l'écrivain Ehrenbourg qualifiait de païenne et jugeait à la fois «hautaine et désemparée» a profondément marqué la poésie russe contemporaine, par la force de son inspiration, la tension exacerbée de sa pensée et la personnalité de son écriture haletante et audacieuse. Poète à l'état brut, Marina se consumait de passion pour un absolu inaccessible.

Elle était née à Moscou en 1895. Son père, éminent professeur d'histoire de l'art, était le fondateur du musée des Beaux-Arts – aujourd'hui musée Pouchkine de Moscou. La famille vivait dans une maison au centre de la ville avec une domesticité nombreuse, au milieu de meubles estampillés, d'argenterie et de tableaux de maîtres. Les réunions dans cette maison rappelaient l'ambiance des soirées chez les Pasternak. Elles ressemblaient à un banquet platonicien où des écrivains et artistes, intellectuels et philosophes se retrouvaient pour discuter, de minuit aux premières clartés de l'aube, de symbolisme, d'«anarchie mystique» et de «mystères helléniques».

Rien d'étonnant si, au contact de ce milieu, la jeune Marina commença à mélanger la réalité et la fiction, séduite par le mot d'ordre qui régnait à l'époque appelant à transformer l'art en vie. Souvent, Marina observait par les fenêtres à double vitrage de sa chambre les eaux noirâtres de la Moskova. Elle coulait sous les ponts d'où les réverbères laissaient tomber leurs colonnes ruisselantes, blanc, bleu et rouge, comme les couleurs du drapeau français... et du drapeau russe ! Marina conversait avec Maupassant et Flaubert comme s'ils étaient ses contemporains et avait une préférence pour Edmond Rostand. Il faut dire qu'elle était allée à Paris. En visitant le tombeau de son idole, Napoléon, elle s'était exclamée : « Je me connais ! Bonaparte, je n'aurais osé l'aimer que le jour de sa chute. »

Moscou et Paris sont les deux lieux emblématiques de ce personnage hors du commun. La Révolution, l'émigration, l'espionnage, le retour en URSS ponctueraient les étapes d'un violent drame intérieur. Sa nature exaltée, rebelle et intransigeante ne cessa de se heurter aux conformismes ambiants, aux médiocrités et aux injustices, que ce soit en Russie ou en France. Dans sa nouvelle publiée en 1934, *Le Diable*, elle évoque son enfance, déjà envoûtée à 7 ans par la magie des mots. Dans une autre nouvelle, *Ma mère et la musique*, écrite la même année dans l'isolement misérable d'un exil toujours plus mal vécu, Marina retrace l'émergence de sa vocation poétique. Par amour filial et par obéissance, l'enfant se soumit au désir de sa mère musicienne qui initia sa fille aux rigueurs de la technique pianistique et rêva de la voir se consacrer à la musique. Seule la mort prématurée de cette femme à la forte personnalité, quand Marina avait 14 ans, interrompit cette formation contraignante. Entre la musique et la poésie, la frontière est subtile : la musique représentait un apprentissage difficile pour Marina, alors que la poésie lui venait naturellement par la grâce de Dieu. Typiquement russe, elle défiait la réalité et créait un monde à part.

La jeunesse de Marina fut également marquée par un poète, Maximilian Volochine, esthète et grand connaisseur de la littérature occidentale. Marina le décrivit ainsi : « Il provoquait par son excès de vie l'amour chez les femmes et l'amitié chez les hommes. Il était à la fois un créateur d'êtres, de rencontres et de destins. Ce qui le qualifiait par-dessus tout, c'était sa joie de donner. Trois mots dominaient sa vie : magie, mythe, mysticisme. » Inutile d'ajouter que ces trois mots s'appliquaient également à Marina Tsvétaïéva. Poète, il avait les accents d'un génie. C'était aussi un philosophe original et un journaliste d'exception. Il savait d'une manière prodigieuse pousser les êtres au meilleur. C'était un éducateur-né, un parfait pédagogue. L'humain était son instrument.

En 1917, Volochine quitta la capitale russe pour s'établir définitivement dans sa propriété située à Koktebel sur les bords de la mer Noire, dans le midi de la Russie. Pendant ces années de tourmente, ce lieu devint à la fois un havre de paix et un point de ralliement pour les écrivains en péril. Marina, mais aussi Ossip Mandelstam, poète génial qui mourut dans les camps staliniens, Marie Cuvillier, poétesse franco-russe, future princesse Koudacheva qui deviendrait Mme Romain Rolland, Ilya Ehrenbourg, poète et chantre du dégel, enfin Sophia Parnok, la « Sappho russe », tous passèrent par Koktebel.

Face aux événements tragiques de son époque, Volochine se voulait au-dessus de la mêlée. L'ambiance était particulière à Koktebel, tous les excès et toutes les amitiés étaient acceptés. Si Marina fut initiée à l'amour par une de ses condisciples, elle y rencontra également son futur mari. Fut-ce un coup de foudre ? Difficile de le croire car elle considérait plutôt ce jeune homme timide comme un frère. D'ailleurs leur mariage resterait blanc quelques années. La princesse Koudacheva, présente au début de cette idylle, me confirma que la force du couple émanait de Marina : « Fut-elle jolie ? Non, elle était passionnée. Talentueuse ? Non, c'était un génie. » Marina connut de nombreuses aventures sentimentales, souvent courtes, parfois désordonnées et toujours dramatiques. En 1917, Marina poussa son mari à s'engager dans l'Armée blanche.

Dans la tourmente de la Révolution, elle affrontait pour la première fois de sa vie la misère. Son père était mort, beaucoup de leurs amis partis à l'étranger, les lettres de son mari se faisaient rares et les nouvelles du front devenaient de plus en plus alarmantes. Les maisons tombaient en ruine et, la nuit, les voisins emportaient portes et lames de parquet pour les brûler dans leurs poêles. La maison de Marina fut ainsi en partie démantelée. Devenue le chantre de l'Armée blanche et des soldats fidèles au tsarisme, Marina publia un recueil de poèmes, *Le Camp des cygnes* : « Où sont les cygnes ? – Les cygnes sont partis. / Et les corbeaux ? – Les corbeaux sont restés. » Ces vers résumaient en peu de mots la situation en Russie.

L'heure de l'exil avait sonné. Après avoir obtenu, grâce à ses amitiés littéraires, une bourse du gouvernement tchèque, Marina quitta Moscou avec sa fille. Ce fut pour Prague, ville-livre dans les pages de laquelle il restait « tant à lire, à rêver, à comprendre », ville de trois peuples – tchèque, allemand, juif – et, selon André Breton, capitale magique de l'Europe.

Prague était aussi une pépinière de fantômes, une arène de sortilèges, un piège qui, lorsqu'il vous cernait, avec ses brumes, ses maléfices et son ciel empoisonné, ne vous lâchait plus. Dans *Ecce Homo*, Nietzsche affirme : « Si je cherche un autre mot pour exprimer le mystère, je ne trouve que le mot Prague. Sa beauté est trouble et mélancolique comme une comète, comme une impression de feu, serpentine et sournoise comme dans les anamorphoses des maniéristes, environnée d'un halo de deuil et de ruine, marquée d'une grimace d'éternelle désillusion. »

Devant les yeux tristes de Marina, les paysages de la Bohême défilaient avec ses petits châteaux et sa rivière bouillonnante, la Vltava, immortalisée par le compositeur Smetana. À Prague où Casanova fut bibliothécaire et où Mozart donna son *Don Juan*, elle arpentait la ville âgée de plus de mille ans et les ruelles tortueuses desdits nouveaux quartiers datant, eux, du XIVe siècle... Songeait-elle alors aux mots de Rilke : « Je connais ma mère chérie, Prague, jusqu'au cœur. Au cœur, je trouve toujours le plus secret et, voyez-vous, il y a tant de choses secrètes, là, dans ces vieilles maisons. Il y a là de vieilles maisons. Il y a de vieilles chapelles, Seigneur, et que d'objets étranges s'y rencontrent ! Des images et des lampes, des coffres entiers, je ne mens pas, des coffres entiers pleins d'or. Et de vieilles chapelles, des couloirs souterrains conduisant très loin sous la ville – peut-être jusqu'à Vienne. »

Durant l'année 1924, Marina reçut des nouvelles de son mari par l'intermédiaire de l'un de ses camarades du front. Elle tomba alors éperdument amoureuse de ce garçon. La poétesse Nina Berberova nota avec un certain dédain : «À Prague, elle donnait l'impression d'une personne qui avait su conjurer ses malheurs malgré ses problèmes. On aurait dit cependant qu'elle ne s'analysait pas et qu'elle n'avait pas pris conscience, par une sorte d'immaturité psychologique, de ses capacités d'adaptation. Ce sentiment d'inadaptation, loin d'être la marque distinctive d'une supériorité, comme on le pensait jadis, est plutôt le signe d'un échec psychologique et existentiel de celui qui n'a pas réussi à mûrir et à s'intégrer à son temps et à la société dans laquelle il vit.» Mais était-elle la seule dans ce cas ? Les changements de la Révolution étaient si tragiques qu'ils exigeaient une force surhumaine d'adaptation. Persuadée, comme chaque fois, qu'il s'agissait d'une authentique histoire d'amour, Marina emmena son amant contempler les toits rouges de Prague, les tours et les clochers, l'ombre verte de la coupole de l'église Saint-Nicolas. Et, tandis qu'elle voulait y croire, son compagnon se lassait déjà de sa nature enflammée et fantasque. Deux semaines eurent raison de cet amour.

Neuf mois plus tard, en 1925, naissait à Paris un petit garçon. Il serait tué au cours de la Seconde Guerre mondiale. Son véritable géniteur ne serait connu qu'en 1998. En attendant, le mari de la poétesse rejoignit enfin sa famille. Le couple s'installa en France dans un trois pièces avec jardinet, en plein quartier russe de Meudon. Mais Marina continuait à chercher du réconfort ailleurs.

La relation épistolaire et insolite qu'elle entama alors avec Pasternak combla provisoirement sa quête d'amour absolu. Elle y trouva un refuge et, paradoxalement, une suprême satisfaction sensuelle. Ses liaisons avec des jeunes femmes, des hommes mûrs et expérimentés ou des garçons encore innocents ne lui donnèrent jamais une telle intensité. L'approche que Marina avait de l'amour était singulière. Pour elle, il y avait deux temps cruciaux : celui qui précède la rencontre, celui qui suit la séparation. Elle attachait même plus de prix à la séparation qu'à la rencontre. « Ne daigne » était son intransigeante devise, ce qui signifiait pour elle « ne jamais s'abaisser » ou « ne pas subir les convenances ». Le milieu de l'émigration à Paris l'a souvent ridiculisée, se moquant de son romantisme exacerbé. Sa quête pouvait-elle être facilement acceptée dans ce monde impitoyable marqué par les rivalités et les jalousies ? Les jeunes poètes essayaient sur elle leurs flèches, la désignant « misérable comme nous, mais avec les manières d'une tsarine ».

Pendant ce temps, Pasternak vivait des jours difficiles à Moscou. Plusieurs dizaines de personnes cohabitaient dans le grand appartement de ses parents. De Berlin, le père du poète fit savoir à son fils que sa poésie était appréciée de Rilke. «Rilke? Je l'admire depuis mes 17 ans... Il est mon maître!» s'exclama Boris. «Écris-lui», conseilla Leonid. Boris proposa à Rilke d'entrer dans le jeu de sa correspondance avec Marina. Ainsi commença l'échange inouï entre un poète russe tourmenté par la tempête de la Révolution, un génie autrichien passionné de culture russe et une poétesse moscovite émigrée en France, exaltée par la lutte contre les bolcheviks. Grâce à cette relation, chacun s'accrocherait à la vie.

Rainer Maria Rilke connaissait bien les Russes. Il avait déjà été l'ami intime de Lou Andreas-Salomé, avait rendu visite à Tolstoï en sa compagnie et connaissait Leonid Pasternak, le père du poète. Né à Prague en 1875, il y passa son enfance puis la fin de son adolescence. Ses œuvres de jeunesse sont marquées par cette ville, son atmosphère envoûtante proche de celle des romans de Kafka. Dans la préface de *Deux histoires pragoises*, il notait d'ailleurs: «J'écrivis ce livre pour me rapprocher de ma propre jeunesse. Car tout art aspire à s'enrichir de ce jardin disparu, de ses parfums et de ses obscurités, à retrouver l'éloquence de son bruissement.»

Ce jardin était aussi celui de Marina. Rilke avait lu Pouchkine et Lermontov dans le texte et traduit *La Mouette* de Tchekhov. Ce n'est pas un hasard si Pasternak évoqua à ce propos « la fatalité des rencontres et la prédisposition inévitable des rapports ne dépendant ni des sentiments ni du désir ». Étoffant au fil des jours ce chef-d'œuvre épistolaire, Pasternak écrivait à Marina : « Tu es mon seul ciel légitime et ma femme. » « Nous nous touchons comment ? Par des coups d'ailes », renchérissait Rilke. « Je lisais ta lettre au bord de l'océan, et l'océan la lisait avec moi », concluait Marina.

Tout en vivant cette histoire extraordinaire, Marina souffrait à Paris de la vie quotidienne. « Mon mari est très déprimé, confiait-elle. C'est un homme qui a toujours besoin d'un fardeau au-dessus de ses forces... » Son conjoint, déjà fragile, venait de perdre son travail de rédacteur. Sans cet unique et modeste salaire, il fallut vivre à crédit pour acheter au moins de la viande de cheval – la moins chère – et glaner quelques vivres au marché. Gala, son amie d'enfance, et Dalí s'effrayèrent du teint cireux de Marina. Sa vitalité légendaire s'éteignait : « Je suis si fatiguée qu'il n'est plus question de ressentir. Le sentiment exige des forces. » Cependant, dans son imaginaire, la vigueur reprenait étonnamment ses droits : « Je veux un fils de Pasternak, écrivit-elle à une amie, qu'il vive en lui à travers moi. Si cela ne se fait pas, le sens de ma vie n'aura pas été accompli. »

De son côté, Pasternak semblait avoir d'autres chats à fouetter. La dictature de Staline se refusait à accepter son individualisme, il était de moins en moins publié et fut contraint de ne faire que des traductions. Dépassé par ses problèmes de couple, anéanti par l'ambiance soviétique, Pasternak allait cesser d'écrire à Marina. Par ailleurs sa femme, jalouse, lui faisait des scènes régulières à propos de cette correspondance que le poète ne cachait pas. Marina se tourna alors vers Rilke : « Cher Rainer, Boris ne m'écrit plus. Dans sa dernière lettre, il m'a écrit : "Tout ce qui n'est pas volonté en moi est tien et porte ton nom." Rainer, toute relation humaine est une île et moi toujours engloutie – tête, peau, cheveux. Rainer, cet hiver, il faut que nous nous retrouvions quelque part dans la Savoie française, tout près de la Suisse… quelque part où tu n'es jamais allé (ce jamais existe-t-il ? J'en doute). Dans une petite ville, Rainer. Ou cet automne, Rainer. Ou au printemps. Dis oui, pour qu'à partir d'aujourd'hui, j'aie à moi une grande joie, quelque chose vers quoi tourner mes regards (me retourner ?). Parce qu'il est très tard et que je suis très lasse, je te serre dans mes bras… »

Pourtant Marina savait Rilke très malade. Elle voulait encore surmonter la réalité, conjurer l'âge, la maladie, sa misère. Rilke, quant à lui, ne se faisait plus d'illusions ; il était déjà trop tard, ses jours étaient comptés. Marina persistait à vouloir lui insuffler la vie : « Plus tu t'éloignes de moi, plus tu pénètres *en* moi. » Ailleurs, elle avouait : « Mon amour pour toi s'est morcelé en jours et en lettres, en heures et en lignes. »

« Rainer, le soir tombe, je t'aime. Un train hurle. Les trains sont des loups, les loups sont la Russie. Ce n'est pas un train – c'est toute la Russie qui hurle après toi. Ne sois pas fâché contre moi, fâché ou non, cette nuit je dormirai avec toi. Une faille dans l'obscurité, parce qu'il y a des étoiles, je la referme : la fenêtre. (Quand je pense à toi et moi, je pense à une fenêtre, pas à un lit.) Les yeux grands ouverts, car dehors, il fait plus noir encore que dedans. Le lit est un bateau, nous partons en voyage. » Dans *Le Docteur Jivago*, Pasternak ferait des loups le symbole tragique de la fin de l'amour entre Lara et Youri.

Marina écrivit encore : « Rainer, tu peux dire oui à tout ce que je veux – ce ne sera jamais bien grave. Rainer, quand je te dis : je suis ta Russie, je te dis seulement (une fois de plus) que je t'aime. L'amour vit d'exceptions, d'isolations, d'exclusions. L'amour vit des mots et meurt des faits. Je suis trop intelligente pour vouloir vraiment être pour toi toute la Russie ! Façon de parler. Façon d'aimer ! »

Quel texte splendide ! Rilke allait disparaître en 1926, quelques mois plus tard, sans jamais avoir rencontré la poétesse. En guise d'oraison funèbre, Marina offrit à son ami son plus beau discours. C'est à Pasternak qu'elle en adressa les fragments. Elle y contestait le monde mesquin des corps, l'opposant au « monde des âmes », et reniait l'amour tel qu'on a coutume de le nommer dans le « monde des corps ». « L'amour hait les poètes… » écrivait-elle. Et, dans une autre lettre : « Je ne comprends pas la chair en tant que telle, je ne lui reconnais aucun droit. » N'avait-elle pas également écrit à Rilke : « Je ne vis pas sur mes lèvres et qui m'embrasse passe à côté de moi. » Non, pour elle, « se toucher en paroles », c'était « se rencontrer en esprit ». À Pasternak, elle livra ce constat : « Boris, Boris, comme nous aurions été heureux, à Moscou, à Weimar, à Prague, en ce bas-monde et surtout dans l'autre qui *est déjà tout entier en nous*. Tes perpétuels départs […]. Ta *vie* par correspondance avec toutes les rues du monde… et aller chez moi. […] Nous nous serions mis à l'unisson. »

Pourtant, huit années durant, de 1923 à 1931, Marina elle-même évita la rencontre avec Pasternak. Le poète russe avait une fois attendu sa venue à Weimar en 1926. Elle ne vint jamais. Lucide, elle avait déclaré: «Je voulais éviter une catastrophe totale.» Cette phrase n'exprimait pas seulement sa peur d'être déçue ou de décevoir Pasternak, Marina faisait allusion à la vie conjugale de son ami, dont elle connaissait les méandres.

Pendant ce temps, le mari de Marina était devenu un collaborateur des services secrets de Staline. Il croyait encore agir librement. Malade, il se faisait soigner dans un sanatorium russe de Haute-Savoie. Le nouvel esprit prosoviétique de son mari compliqua la situation de Marina, qui d'un coup fut rejetée du milieu blanc de Paris. Honnie par ses pairs, méprisée par ses anciens amis et montrée du doigt avec indignation par ses confrères, Marina était de nouveau anéantie. «C'est une prisonnière qui avance toute seule», dit d'elle le poète Maïakovski, venu animer une soirée poétique à Paris, au cours de laquelle elle prit fait et cause pour le poète rouge.

À sa sortie du café Voltaire, on l'avait interrogée: «Alors, que dites-vous de la Russie après avoir entendu Maïakovski? – Que la force est là-bas», avait-elle répondu laconiquement. Cette phrase provoqua l'indignation dans le milieu de l'émigration russe qui haït Marina plus encore. Pourtant Maïakovski avait fait une sortie contre son «lyrisme tsigane» sous une «couverture grise de poussière». Mais il était aussi celui qui avait dit d'elle: «Sa simplicité sautait aux yeux. On la devinait prête – et en cela elle m'était proche – à renoncer à tout instant à tout parti pris ou privilège, si quelque chose de haut venait à l'enflammer et à lui inspirer de l'enthousiasme.» Marina s'était mise à détester Ivan Bounine, auteur des *Allées sombres* et couronné du prix Nobel de littérature en 1933. Elle lui préféra le Soviétique Gorki, nouveau sujet de scandale dans les milieux de l'émigration qui voyaient en Bounine leur représentant et en Gorki un dangereux bolchevik.

Rilke mort, Pasternak s'étant éloigné, Marina tenta tant bien que mal de se ressaisir en se raccrochant à un «jeune chiot». Fils d'un ancien conseiller municipal de Moscou, Nicolas avait 18 ans. Il était poète, de deux ans seulement plus âgé que la fille de Marina… L'idylle dura un an. Pendant l'hiver, ils marchèrent souvent à pied jusqu'à Versailles. Mais quand l'été arriva, Nicolas ne rejoignit pas Marina au bord de l'océan Atlantique. Il était tombé amoureux d'une fille de son âge. S'enivrant des paysages bretons qu'elle aimait, Marina emmena son fils chaque jour à la plage et, tandis que l'enfant faisait couler le sable entre ses mains, sa mère pleurait…

Marina et Pasternak se rencontrèrent finalement en 1935 à Paris, dans les couloirs du Congrès international des écrivains pour la défense de la culture. Pasternak était arrivé dans la capitale française le 24 juin 1935 pour dix jours. Malraux, l'un des organisateurs du Congrès et compagnon de route du Parti communiste, l'accueillit avec chaleur et admiration. Marina vint au devant de Pasternak et lui récita des vers. Elle constaterait : « La rencontre m'a laissée dans un état embrouillé. Un état difficile pour moi parce que tout ce qui à mon sens est le droit est pour toi un vice. » Le poète avait lui aussi beaucoup changé. Il avait divorcé de sa première femme. En outre, l'heure n'était plus au romantisme littéraire, il était miné par la peur. Dans l'écriture clandestine, il avait pris conscience de son évolution personnelle : désormais, son intérêt se portait sur l'analyse impitoyable du destin individuel face à la terreur. Marina ne comprit guère l'attitude de Pasternak à Paris. Elle confia à une amie : « Ma rencontre avec Pasternak a été une non-rencontre. »

Marina retourna voir Pasternak à son hôtel parisien, accompagnée de son mari Serge Efron, de sa fille Ariadna, âgée de 23 ans et pasionaria révolutionnaire, et de son fils Murr, 10 ans, qui s'ennuyait parmi les grandes personnes. Marina ne se rendit pas compte que, surveillé constamment, Pasternak craignait pour sa famille restée en URSS. S'il sentit chez son interlocutrice le désir de revenir en Russie, il savait aussi qu'il ne pouvait pas lui parler librement. Son mari était de mèche avec les services secrets de Staline et organisait en France le recrutement des volontaires pour les Brigades internationales engagées aux côtés de l'Espagne républicaine.

Pourquoi Marina décida-t-elle de rentrer en URSS ? Le fait que son mari l'ait précédée avec leur fille joua un rôle certain. Mais bannie par l'émigration, sans ressources, avait-elle un autre choix ? Durant les seize années passées à Paris, un seul de ses nombreux livres fut publié en France. Elle qui chercha toute sa vie l'amour absolu trouva la tragédie absolue dès son retour au pays natal, en 1939. Malgré ses liens avec la police secrète soviétique, son mari fut arrêté et fusillé. Sa fille passerait des années au Goulag. Démunie et sans amis, Marina se donna la mort à Elabouga, petite ville aux confins de l'Oural, fin août 1941. Impitoyable, son fils dirait en guise d'épitaphe : « Elle a bien fait. »

Dans les mois terribles de l'offensive nazie en Russie, Pasternak envisageait de la rejoindre, sa famille se trouvant en évacuation à Tchistopol. Il apprit alors que Marina Tsvétaïéva s'était pendue. « Si cela est vrai, quelle horreur ! écrivit-il à sa femme. Comme je suis coupable si c'est la

vérité. [...] Cela ne me sera jamais pardonné.
J'avais cessé de m'intéresser à elle cette dernière
année... Que c'est terrible ! » Il composa ces
vers en sa mémoire, pleins de nostalgie et de
culpabilité :

> *J'ai tant de mal jusqu'à présent*
> *À t'imaginer défunte,*
> *[...]*
> *Que puis-je faire pour te plaire ?*
> *Apprends-le-moi de quelque manière.*
> *Dans le silence de ton départ*
> *Je sens un reproche caché.*

## «Aimer certains, c'est un fardeau... »

Pourquoi, malgré la terreur et les arrestations de masse en Russie dans les années 1930, Pasternak ne suivit-il pas ses parents à l'étranger ? Il eut plusieurs fois l'occasion de le faire. Face à l'Histoire, seul l'amour représentait pour lui un refuge à la liberté. La femme incarnait l'éternité et la liberté, l'homme étant selon lui dépendant du contexte historique et politique.

Russe d'origine italienne (ses ancêtres avaient été parmi les bâtisseurs de Saint-Pétersbourg), la nouvelle élue de son cœur s'appelait Zinaïda. Elle était mariée à un pianiste mondialement connu, Heinrich Neuhaus. Le poète avait croisé le couple chez un ami commun, le philosophe Valentin Asmus, au cours de l'année 1929. Passionné de musique, Pasternak fut enchanté par cette rencontre. Il avait 40 ans, la jeune femme, 34. Elle était mère de deux enfants.

L'été venu, pour s'éloigner de l'atmosphère étouffante des intrigues de Moscou et de la bureaucratie soviétique omniprésente, les deux couples louèrent des maisons côte à côte, plongées dans la verdure exubérante des environs de Kiev en Ukraine. Pasternak y envoya d'abord sa famille. Il avait épousé Evguénia dix ans auparavant, et il avait été assez vite clair que ce mariage était une erreur. Lorsque Boris rejoignit le petit village rempli de maisons de bois peint, la plus charmante des visions l'attendait. La belle méridionale, agenouillée, frottait énergiquement le sol d'une véranda. Ses pieds étaient nus. L'un des biographes de Pasternak, Dmitri Bykov, affirme que la jeune femme cherchait à séduire le poète par sa posture. Comment savoir ? Fantasme de biographe, sans doute ! Boris reprendrait l'image dans *Le Docteur Jivago* pour dépeindre l'émotion de Youri devant la simplicité de Lara : « Il [...] trouvait Larissa Fiodorovna en pleins travaux domestiques, à son fourneau ou devant quelque baquet. Dans sa tenue des jours de travail, décoiffée, les manches retroussées, le bas de jupe relevé, elle faisait peut-être plus d'effet que si on l'eût trouvée en robe de bal, décolletée... »

Le poète fut profondément marqué par ce spectacle. Et Pasternak fit également forte impression sur Zinaïda. Avec son allégresse légendaire, elle montra à Boris la maisonnette de sa famille. Les derniers rayons du soleil se jouaient du teint mat de cette brune radieuse au visage parfaitement dessiné et aux immenses yeux d'un marron ardent. « Je n'oublierai jamais, écrirait le peintre Robert Falk, tant cette femme était belle alors, ce port de tête et ce profil... » Pasternak évoque aussi, dans la préface de son essai autobiographique *Sauf-conduit*, « cette apparition quasi surnaturelle » : « Éclairée du dehors par un sourire, elle rappelait beaucoup un portrait de femme par Ghirlandajo. Alors, on aurait aimé se baigner dans ce visage. »

Ils se virent chaque jour, philosophant, selon leur formule, en buvant du thé, comme le veut l'ancestrale coutume russe. En cet été magique, embrasé par le regard de Zinaïda, Pasternak raconta les plus belles légendes poétiques, notamment celle d'Aristophane qui distingue dans *Le Banquet* de Platon trois sortes d'hommes qui étaient à l'origine : l'homme double, la femme double et l'homme/femme, ou androgyne.

« Chaque individu possédait quatre jambes, quatre bras, deux organes de procréation et deux têtes, développa Boris. Cette constitution donna aux hommes une telle vigueur que très vite, ils décidèrent de s'en prendre aux dieux. Mal leur en prit. Menés par Zeus, les dieux séparèrent en deux les agresseurs, qui d'un coup perdirent leur puissance, et surtout la moitié de leur être. Sa vie durant, l'homme recherche sa part manquante. Son double… »

En présence de la jeune femme, Pasternak manifestait tantôt une extrême réserve, tantôt un manque absolu de retenue. Zinaïda était de plus en plus conquise. Parfois toute la compagnie se rendait à Kiev pour assister à des concerts donnés le plus souvent en plein air. Pendant un de ces récitals, un orage éclata. Des éclairs déchirèrent le ciel, suivis de grondements sourds et répétés, tandis que, inspiré, le pianiste continuait de jouer. Cette tempête allait devenir le symbole de son amour. Puis les premières bourrasques de l'automne accompagnèrent le retour des estivants à Moscou.

Durant le voyage, les steppes exhalaient leurs parfums délicats auxquels se mêlaient les effluves du charbon et l'odeur âcre des écorces humides. Parfois le train s'engouffrait dans l'obscurité d'un tunnel ou s'arrêtait en rase campagne. Zinaïda éprouvait une légère mélancolie à quitter la steppe ukrainienne; peut-être, plus exactement, à laisser derrière elle ces moments suspendus.

Fuyant ses sombres pensées, Zinaïda sortit dans le couloir. La porte du compartiment voisin s'ouvrit. La jeune femme sourit. Pasternak se rapprocha d'elle. Brûlant cigarette sur cigarette, il raconta sa vie et ses désespoirs. Il ne se contentait pas d'accompagner sa conversation de banals compliments, il parlait de ses désirs profonds sous le regard absorbé de son interlocutrice. « Vous êtes mon double », lui disait-il, rappelant la légende d'Aristophane.

À l'ouest, au-delà des champs boisés, le crépuscule de l'été ukrainien brûlait d'une lueur pâle. Le train fit une halte imprévue dans une petite gare et resta un moment sur une voie latérale. Le couple se pencha à la fenêtre du wagon. Au loin, le long cri d'un oiseau semblait faire écho aux suppliques du poète. Parlant alors du bonheur absent, du manque d'inspiration, de « la hantise de la fin » face à la dictature, il s'en prit à « la folie d'abstraction », à « la tyrannie de la phrase », à « l'imbécillité déclamatoire du régime ». Puis, soudainement, il lança : « Vous êtes ma seule possibilité de survivre... Vous êtes ma seconde naissance ! Seul l'amour peut m'aider à surmonter ma douleur et mon désespoir. »

Je dois ces anecdotes à l'élève de Pasternak, le poète Andreï Voznessenski, et à l'écrivain Valentin Kataïev, le voisin de la datcha des Pasternak à Peredelkino. Celui-ci a recueilli les confidences de Zinaïda, surtout au moment de la crise du couple dans les années 1950. Pasternak était un être de renaissance, même dans le contexte le plus accablant. La femme était pour lui le seul réconfort face à la dictature de Staline et la première source de poésie. Zinaïda était bien sûr sous le charme de Pasternak, mais, mariée et mère de deux enfants, elle se refusa d'abord à lui. Pour calmer son interlocuteur, elle entreprit elle aussi de se confier : « Vous ne pouvez pas imaginer quelle mauvaise femme je suis ! »

Elle lui raconta comment, à 15 ans, elle était devenue la maîtresse de son cousin de vingt-cinq ans son aîné, un homme marié et père de deux enfants. C'était au temps de sa jeunesse, la musique était alors sa passion. Enthousiasmé par l'oreille de la jeune fille, son cousin avait persuadé sa mère de lui enseigner le solfège. « Je n'étais pas encore sortie de l'adolescence. Peu à peu nos leçons se sont transformées en rendez-vous passionnés, qu'accompagnaient Rachmaninov et Chopin. Je ne pouvais pas résister, comme toujours avec un premier amour… Pendant la guerre civile, en 1919, il vint me chercher, mais j'étais déjà éprise d'un autre – mon mari actuel. Un an plus tard, mon cousin mourut. Je me souviens très bien, conclut la jeune femme, de notre dernier bal. J'étais si gaie et lui si triste. » Pasternak reproduira fidèlement cet épisode dans son roman à travers la liaison de Lara et Komarovski, faite de soumission et de

passion, évocation très moderne de la manipulation sexuelle et affective des femmes.

En espérant raisonner son admirateur, Zinaïda
se trompait. Pasternak comprit au contraire que
cette confidence était une preuve supplémentaire
d'intimité. Toute sa vie il serait jaloux de cet épisode passionné de la vie de Zinaïda. « J'ai compris tout cela. Vous aurez du mal à le croire, mais
dès notre première rencontre, j'ai deviné vos
souffrances », conclut-il en lui baisant la main.

Durant cette nuit, la jeune femme ne parvint
pas à trouver le sommeil. Le wagon, roulant sur
ses ressorts, fuyait vers l'avant. La petite gare
était bien loin… Devait-elle l'oublier ? Refuser
un tel cadeau du destin ?

Deux jours après leur arrivée à Moscou,
Pasternak se rendit chez Zinaïda et son époux.
La jeune femme pensait qu'il venait leur lire
ses nouveaux poèmes, deux ballades dédiées au
couple. Mais quand elle revint dans le salon après
avoir préparé le thé, elle comprit que quelque
chose de grave était arrivé. Le poète et le musi-
cien, assis chacun dans un fauteuil, pleuraient.
Pasternak venait d'avouer au mari qu'il aimait
Zinaïda, que ce sentiment « demeurerait à jamais
en lui », qu'« elle était son seul salut ». Après le
départ de Pasternak, la jeune femme tenta de
rassurer Heinrich: « Ce n'est pas sérieux, l'âme
des poètes est si volatile. » Tandis que Pasternak

continuait de rendre régulièrement visite au couple, la jeune femme évitait de le rencontrer en tête à tête et consacrait ce début d'année 1931 à ses enfants. Mais à la fin de l'hiver, son mari partit pour la Sibérie en tournée.

Une hausse de température avait provoqué un dégel soudain. De nouveau, on entendait le claquement des sabots sur la chaussée, mêlé au son des klaxons de voiture. Un soir, Pasternak vint annoncer à Zinaïda qu'il avait quitté sa femme. « Tu dois comprendre, avait-il écrit à Evguénia, que je ne t'ai pas abandonnée et que tu n'as subi aucune défaite... Ce n'est pas toi qui es en cause mais notre vie de couple que nous n'avons pas réussie, dont l'échec prolongé te blessait et me rendait coupable envers toi sans avoir commis de faute. »

Dans la postface de *Sauf-conduit*, qu'il ne désirait pas publier, Pasternak tire une conclusion fataliste sur l'énigme des passions. Il était en effet persuadé que l'apparence extérieure, plus précisément le type physique, prédéterminait le destin amoureux : « Je connais un visage qui frappe et tranche pareillement dans la tristesse et dans la joie, et devient d'autant plus beau qu'on le surprend plus souvent dans des positions où pâlirait une autre beauté. Que cette femme s'élance vers le ciel ou se précipite vers le sol, son effrayante séduction reste intacte, et elle a beaucoup moins besoin de quoi que ce soit sur terre que la terre n'a besoin d'elle, parce qu'elle est la féminité même, bloc grossier de fierté infrangible extrait d'une seule pièce de la carrière de la création. Et comme les lois du monde extérieur déterminent le plus puissamment la forme d'esprit et le caractère de la femme, la vie, et la substance, et l'honneur et la passion d'une femme comme celle-là ne dépendent pas de l'éclairage, et elle ne craint pas autant les désagréments que la première. »

Fidèle à son caractère pondéré, Zinaïda tenta une fois encore de ramener le poète à la raison. «Je ne quitterai jamais mon mari ni mes enfants», assura-t-elle. En guise de réponse, il lui récita ses nouveaux vers dédiés à leur amour :

*Aimer certains, c'est un fardeau ;*
*Toi, tu séduis sans insistance –*
*Percer tes charmes équivaut*
*À voir la clé de l'existence*

Quelques jours plus tard, Pasternak se rendit de nouveau chez sa bien-aimée. Le froid était revenu, plus vif, plus cinglant. Les nouvelles étaient désespérantes : Staline relançait une campagne de terreur. En mangeant quelques pommes, ils parlèrent à mi-voix, inlassablement, jusqu'à une heure avancée. La jeune femme fit infuser le thé et vint s'enfoncer comme une chatte dans les coussins du divan… Cette nuit-là, le poète resta chez elle. À l'aube, la jeune femme prenait sa plume pour tout raconter à son mari.

Le pianiste reçut la lettre en Sibérie, à la veille d'une représentation. Le lendemain, complètement abattu, le pauvre homme interrompit son concert, il claqua le couvercle du piano et fondit en larmes devant le public ébahi. Pendant ce temps, à Moscou, tous les amis du couple tentaient de rétablir les relations distendues. Zinaïda décida de se donner un temps de réflexion. Elle retourna à Kiev, où son mari devait donner un concert.

Connaissant la passion de son épouse pour la musique, le pianiste utilisa son arme ultime : son extraordinaire talent. Il joua Chopin comme jamais. Au premier rang, la jeune femme l'écoutait, bouleversée, les larmes aux yeux, les mains sagement croisées sur ses genoux. Comme toujours après les concerts, elle était amoureuse du virtuose. Est-ce l'homme ou son art qui la séduisait ? Le pianiste, lucide, l'avouait lui-même : « Elle ne m'aime que lorsque j'ai bien joué. » Il emmena dîner son épouse et lui jura d'oublier le passé. Dans la chambre bien chauffée de l'hôtel, la beauté de Zinaïda, sous la chemise de soie, lui promettait un bonheur retrouvé. Si la jeune femme faisait aussi l'impossible pour y croire, son cœur battait toujours pour Pasternak.

Quand le poète vint la trouver à son retour, elle ne lui résista pas : « L'amour fut plus fort que tout », avouerait-elle plus tard. La tournée se poursuivant, la jeune femme et son époux se revirent après un autre concert pour une ultime explication. Le châle qui entourait le cou de Zinaïda glissa sur ses épaules. Son mari tenta de le remonter, mais elle repoussa ce geste d'attention d'une main brutale :

« Pourquoi donc faut-il que nous nous torturions tous davantage ? dit-elle brusquement. Il faut éclaircir cette situation.

– Éclaircir ? Et comment ? Nous avons des enfants, n'oublie pas.

– Je crois que nous devrions partir chacun de son côté et réfléchir. »

Le maestro laissa sa femme rentrer seule à l'hôtel et marcha de longues heures à travers la ville. La lueur de l'aube poignait au fond de l'allée qui menait à la gare et rappelait l'atmosphère d'*Anna Karénine*, le roman de Tolstoï. Il s'approcha de la voie ferrée. Un train arrivait. L'espace d'une seconde, il hésita… Il regarda ses mains d'artiste, longues et fines, puis se jeta en arrière pour éviter le bolide. Ce train emmenait

Pasternak et sa bien-aimée vers l'éden de la Géorgie, dans le Midi.

Loin du désespoir qui régnait dans la capitale soviétique, les amants ne se quittèrent pas pendant les trois mois de l'été suivant. Ce fut une fête permanente, une lune de miel dans le Caucase où la nature marie la montagne et la mer. Le couple participa aux festins géorgiens, arrosés des vins parfumés du pays, repas au cours desquels les poètes chantaient leurs inimitables complaintes. Pasternak y était particulièrement apprécié parce qu'il avait traduit la poésie géorgienne. Cette région fut pour lui une terre d'adoption. Son nouveau recueil de poèmes s'ouvrit sur une longue méditation devant les vagues de la mer Noire. L'afflux des souvenirs se mêle aux impressions majestueuses du Caucase et de la Transcaucasie, avec leurs plages immenses, leurs montagnes auréolées... Ce fut le temps de l'insouciance et du bonheur : une sorte de paradis dans l'enfer stalinien. Mais l'heure du retour sonna.

Le 15 novembre 1931, deux amis poètes emmenèrent le couple se baigner une dernière fois avant de l'accompagner à la gare. Le retour à Moscou fut un choc. Ne sachant pas où aller, ils s'installèrent temporairement chez Pasternak dont l'épouse était partie pour quelques mois en Allemagne avec leur fils. Le retour d'Evguénia à Moscou, début 1932, obligea les deux amants à chercher un autre refuge. Ce fut un moment dramatique.

« Ressentant une gêne douloureuse », Zinaïda essaya de retourner chez son mari en demandant qu'il la reprenne « comme nounou pour les enfants et aide ménagère ». Pasternak aussi rentra au domicile conjugal, mais n'y resta que trois jours. « J'ai supplié Evguénia de comprendre que j'aime Zinaïda et qu'il serait méprisable de lutter contre ce sentiment. » Dans une lettre à ses parents, il analyse froidement le caractère de sa femme et celui de sa bien-aimée. Evguénia est « plus inconsciente, plus faible et puérile, mais mieux armée grâce à son irascibilité bruyante, son entêtement pénible et ses théories fumeuses », écrit-il. Zinaïda possède « un tempérament solide, quoique calme et silencieux. C'est une nature profondément laborieuse[7]. »

À ce moment, Pasternak ne pouvait vivre sans Zinaïda. Le 3 février 1932, il se précipita à l'appartement des Neuhaus. « *Der spät kommende Gast ?* » (« Qui vient si tard ? ») demanda sèchement Neuhaus en ouvrant la porte. Pasternak attrapa la bouteille de teinture d'iode posée sur une étagère et l'avala. Heureusement Zinaïda le vit et le sauva. Après ces nombreuses péripéties, Zinaïda et Pasternak durent se résoudre à l'inévitable : le divorce. Il était inimaginable pour la jeune femme d'appartenir à deux hommes. Il lui fallait faire un choix. Et chacun vécut cette rupture dans le plus grand désarroi. Pasternak évoqua souvent le caractère douloureux de son divorce : « Peu après, il y eut dans deux familles, la mienne et une famille amie, des bouleversements, des complications et des changements pénibles moralement pour les intéressés. » Ce sentiment de culpabilité le poursuivrait toute son existence.

Il avoua : « Je me suis montré indigne de Heinrich le mari de Zinaïda, que j'aime et que j'aimerai toujours, écrivit-il à ses parents. J'ai causé une immense souffrance, durable, et pour l'heure inaltérable à ma femme, et cependant je me sens plus pur et innocent qu'avant. » Il déclara également à ses parents : « Vous savez, c'est mon devoir envers Zinaïda – je dois écrire sur elle. Un roman sur cette jeune fille belle et désorientée, qu'un homme marié et vieux emmène dans les salles de restaurants, couverte d'un voile. »

La vie prit le dessus. Femme d'intérieur exceptionnelle, Zinaïda créa un véritable foyer pour le poète, un refuge face à l'hostilité du monde extérieur, où il pouvait écrire sereinement. Privilégiant la vocation d'artiste de Boris, elle était l'antithèse absolue d'Evguénia qui laissait ce dernier faire tout l'entretien de la maison, la cuisine et les tâches matérielles. Avant cela, toutefois, le poète dut s'installer avec sa nouvelle compagne dans la chambre d'un appartement communautaire fort délabré de la rue Volkhonka, laissant son coquet appartement du boulevard Tver à son ex-épouse. Dans ses poèmes, il chante cet amour neuf mais douloureux :

> *[...] le sentiment qui nous lie,*
> *Ni notre honneur n'ont que faire d'un toit...*

## Le temps de la terreur

C e couple uni allait très vite être rattrapé par la fureur de l'Histoire. Le 1er décembre 1934, vers 16 h 30, le destin de la Russie bascula, comme la vie de Pasternak. Nikolaïev, un jeune homme récemment exclu du Parti communiste, assassina d'une balle dans la nuque Kirov, laissé seul par son garde du corps, à l'institut Smolny de Leningrad. Kirov était le secrétaire du Parti pour cette région. C'était aussi un proche du dictateur du Kremlin, Staline, et un membre de la haute direction soviétique.

Encore aujourd'hui, beaucoup de détails de cette affaire demeurent énigmatiques. De l'aveu même du chef de la police secrète soviétique du moment, Iagoda, jugé et fusillé quatre ans plus tard, « la police n'avait pas fait obstacle à la tentative de meurtre ». Certes, on sait la valeur des aveux faits à l'occasion des procès staliniens. Cependant le seul témoin de ce crime, le garde du corps qui appartenait à la police politique, interrogé le 2 décembre, décéda peu après dans un mystérieux accident d'automobile duquel les autres passagers sortirent sains et saufs. La lettre de l'auteur de l'attentat expliquant son geste a étrangement disparu des archives. Il n'y eut aucune expertise médico-légale. La police insinua que la femme de l'assassin avait entretenu une liaison adultérine avec Kirov.

Au début des années 1960, Khrouchtchev ferait courir le bruit que Kirov avait été un opposant résolu à la politique de Staline. Dans son fameux rapport au XXᵉ Congrès du Parti en 1956, après la mort de Staline, Khrouchtchev, en des termes choisis, accuserait ce dernier d'avoir ordonné l'assassinat, Kirov étant devenu pour lui un rival encombrant. Les archives ne confirment pas cette version romanesque. L'accès aux protocoles des réunions du Politburo, au fonds Kirov à Saint-Pétersbourg, au journal intime du jeune Nikolaïev permet d'affirmer que l'assassinat de Kirov fut un acte individuel habilement exploité par Staline, mais non commandité par le dictateur du Kremlin.

Le tsar rouge mit en scène ce drame avec brio, le changeant en tragédie. Informé dès 18 heures de l'attentat, Staline déclara – sans attendre la moindre enquête – que les partisans de Grigori Zinoviev, le bolchevik historique qui dirigea Petrograd après la révolution d'Octobre 1917, avaient déclenché une campagne de terreur contre le Parti. Le soir même, il signait un décret d'exception connu sous le nom de « loi du 1er décembre », accélérant l'instruction des procès et modifiant les règles des procédures judiciaires.

Le 2 décembre 1934, la neige tombait sur Leningrad et de gros blocs de glace envahissaient la Neva lorsque les arrestations commencèrent. Toutes affaires cessantes, Staline se rendit sur place. La présence du tsar rouge donna une nouvelle dimension à ce crime qui devenait une affaire d'État. Pendant cinq jours, le maître du Kremlin prit l'enquête en main, menant les interrogatoires, organisant la répression. La Grande Terreur était en route.

Aux yeux de Staline – et cela devint la version officielle –, la responsabilité de l'attentat incombait à un groupe d'opposition impliquant les premiers compagnons de Lénine. Zinoviev, ancien président du Komintern, fut donc le premier sacrifié. En prison, il retrouva Kamenev, ancien membre du Comité central et du Politburo, président adjoint du conseil des Commissaires du peuple. Les accusations allaient rejaillir sur d'autres collaborateurs directs de Lénine, frappant prioritairement la vieille garde bolchevique.

Pour l'heure, tout le pays tremblait. La peur, la délation et la terreur policière régnaient. La vindicte n'allait plus seulement tomber sur des « ennemis de classe », elle allait aussi toucher des hommes du Parti, sûrs, fidèles, des bureaucrates choisis – eux-mêmes responsables de tant de meurtres politiques – et ceux qui avaient eu le malheur de connaître, de près ou de loin, les dirigeants arrêtés. Le moment propice à l'élimination définitive des ennemis du dictateur, avérés ou potentiels, était arrivé. Staline en était venu à la conclusion que la guerre mondiale s'avérait inévitable et, dans ce contexte, il avait décidé d'anéantir tous les germes d'opposition dans le pays.

Staline accompagna à Moscou le cercueil de Kirov, lui réservant des funérailles grandioses sur la place Rouge. La presse ne publia pas un mot sur l'arrestation des vieux bolcheviks. Il s'agissait de préparer l'opinion. En donnant l'ordre de tuer ses boyards[8] rouges par milliers, Staline écrivait lui-même le scénario de la terreur.

Les grands procès, commencés dès 1936, restent les plus tragiques moments de la répression stalinienne. On entrait dans la terrible période des grandes purges. Elle débuta par les quatre célèbres procès de Moscou : le « procès des 16 », à l'issue duquel les dirigeants bolcheviks Zinoviev et Kamenev furent condamnés à mort et exécutés en août 1936 ; le « procès des 17 » en janvier 1937, qui poursuivait l'élimination des bolcheviks historiques, tels Radek et Sokolnikov ; le procès secret, en juin 1937, des généraux de l'Armée rouge, dont le maréchal Toukhatchevski, fusillé le 12 juin au sortir d'un procès à huis clos. Le dictateur fit tuer sa mère, son épouse, une de ses sœurs et deux de ses frères, déporter au Goulag ses autres sœurs et sa fille de 16 ans, disperser ses neveux et nièces dans les maisons de l'Assistance publique, en remplaçant leurs noms par d'autres. Enfin, en mars 1938, le « procès des 21 », dont Iagoda, chef des services secrets, et le bolchevik emblématique Boukharine. Dans cette ambiance délirante, personne ne pouvait se sentir à l'abri d'une arrestation.

Pasternak devenait plus lucide face à la réalité soviétique. Les arrestations de masse et les persécutions touchaient les villes comme les campagnes. Le désespoir était total. Insomniaque, victime de phobies, Pasternak sombra. De graves angoisses d'autodénigrement et de suicide l'affectèrent. « La vie passera. Et d'ailleurs, très bientôt », écrivit-il à sa cousine Olga Freidenberg. La formule la plus couramment utilisée par ses confrères écrivains pour justifier l'injustifiable était le vieil adage russe : « Quand on coupe du bois, les copeaux volent. » Après la mort de Staline, Pasternak raconterait à l'écrivain Kataïev une soirée passée en compagnie d'un commandant de l'armée, membre du collège militaire du Tribunal suprême : « Je me souviens de son ultime remarque : "Demain, c'est moi qui serai à leur place." » Les généraux qui présidaient le tribunal militaire de la prison furent en effet exécutés quelques mois plus tard.

La question taraudait Pasternak : pourquoi Staline signait-il des centaines de milliers de condamnations à mort ? Parce que son père, alcoolique, l'avait battu dans l'enfance ? Parce qu'il avait un bras atrophié, deux orteils joints et le visage ravagé par la variole ? Dans *Le Docteur Jivago*, Pasternak parle de « la férocité sordide et sanguinaire des Caligula labourés de petite vérole ». Les archives sont formelles. Dans ces années de purges, Staline notait personnellement et ponctuellement, au crayon bleu ou rouge, les noms des victimes à liquider. Souvent le dictateur ne précisait pas les noms mais fixait des quotas d'exécutions se chiffrant par milliers. Parfois il écrivait simplement : « Fusillez-les tous... sans exception ! » La part dans chaque catégorie (« à fusiller » ou « à exiler ») fut vite remplie par ses zélateurs qui allaient bien au-delà des objectifs fixés. Et le dictateur de les encourager ! Le bilan des purges serait terrible. En juillet 1937, il ordonnait l'internement dans les camps des épouses de tous les condamnés, pour cinq à huit ans : 18 000 femmes arrêtées, ainsi que 25 000 enfants, dont certains, âgés de 10 à 12 ans, furent même accusés d'avoir formé des groupes terroristes.

En pleine terreur stalinienne, c'est-à-dire en 1937-1938, « nous arrivons à plus de 40 000 victimes par mois », soutient Soljenitsyne. Ce chiffre n'est pas loin des calculs établis en 1961 par une commission soviétique qui fournirait les données suivantes pour ces deux années : 681 692 fusillés (dont 110 000 membres du Parti) sur un total de 1,4 millions de personnes arrêtées – sans compter les très nombreuses personnes déportées et mortes au Goulag[9]. Ces évaluations sont proches de l'estimation récente de Nicolas Werth[10] : 750 000 à 850 000 exécutions sur plus de 2 millions de personnes arrêtées, dont 60 000 membres de la nomenklatura.

En ces années tragiques, de plus en plus d'amis de Pasternak disparurent. Les épurations massives appelées *ejovchtchina* – du nom de leur organisateur, Iéjov, nommé commissaire aux Affaires intérieures en 1936 – se firent sans publicité, sans confession de la part des victimes et sans procès.

Pasternak ne pouvait consentir à la réalité ; il chercha la loi qui présidait à ces arrestations.

Staline donnait un chiffre global à atteindre qu'il ventilait par catégories et par zones géo-administratives. Il imposait des quotas aux villes et aux unités militaires. Pasternak constata rapidement que les arrestations se propageaient à travers les datchas de Peredelkino comme une épidémie. Les « ennemis du peuple » étaient liquidés en douce, un par un. Déjà, d'autres spectacles sanglants s'organisaient : « l'affaire des diplomates », « l'affaire des avocats », « l'affaire des écrivains », cette dernière concernant de près Pasternak. Les archives confirmeraient que son nom figurait sur la liste des écrivains-espions au service de l'Occident, bons pour un éventuel procès. La femme de Pasternak témoignerait de ce climat terriblement angoissant : « C'était affreux... Nous nous attendions à ce que Pasternak fût arrêté à tout instant. »

Le 14 juin 1937, à Peredelkino, une voiture noire venue de Moscou s'immobilisa devant la datcha. Pasternak prévoyait son arrestation et préparait ses proches du mieux qu'il le pouvait. Zinaïda était au troisième mois de grossesse. À la vue du véhicule, elle se mit à remplir une petite valise de prisonnier. Mais le messager était envoyé pour une requête précise : « L'Union des écrivains soviétiques demande à Boris Pasternak de signer une lettre approuvant la condamnation de plusieurs militaires, notamment du maréchal

Toukhatchevski. » Zinaïda soupira de soulagement et rentra dans la maison, tandis que, avec courage, le poète refusait, alléguant qu'il n'était pas apte à décider de la vie ou de la mort d'autrui.

Tout le monde s'attendait à l'arrestation imminente du poète après cet acte d'opposition, mais rien ne se produisit. Les dirigeants de l'Union, pour éviter le scandale, laissèrent dire que l'écrivain avait signé le document. Ainsi Pasternak échappa-t-il au courroux de la police secrète. Ce geste définissait tout entier l'écrivain qui cherchait à s'évader de son époque, comme le démontrent ses poèmes à chaque vers : « Tant que je fumais en compagnie de Hamlet, tant que je buvais avec Edgar Poe... »

Pasternak considérait chaque procès comme une tragédie à la hauteur de Shakespeare. Ils se tenaient le plus souvent à huis clos. Publics, ils mettaient en scène des accusés fantomatiques, ayant subi des tortures physiques et morales, et confessant des péchés farcesques, comme celui d'avoir voulu assassiner Staline, restaurer le capitalisme, ruiner la puissance économique et militaire du pays, empoisonner et tuer les ouvriers, espionner et conclure avec les nazis des accords secrets de démembrement du territoire. Les mis en cause tentaient de sauver les leurs, souvent pris en otage ou cités comme témoins par la police politique. Des guides haut placés du Parti communiste, autrefois tout-puissants, se changeaient en boucs émissaires soumis, bêlant ce qu'on leur avait ordonné, s'humiliant servilement, reniant leurs convictions, avouant des crimes qu'ils n'avaient pu commettre. Zinoviev, le vétéran du Parti bolchevique et ami le plus proche de Lénine, implora à genoux ses bourreaux de lui laisser la vie. Boukharine, principal soutien de Pasternak au Kremlin – et « chouchou du Parti », selon la formule de Lénine –, adressa à Staline de son cachot une dizaine de lettres surréalistes lui demandant sa grâce en échange d'une vie sous un autre nom, dans un petit village de Sibérie.

« Le malheur est si terrible, écrivait Pasternak à sa femme, qu'il n'entre pas dans le champ de la conscience et demeure comme une abstraction. » Bien qu'il mesurât l'ampleur de la tragédie, il espérait encore, comme beaucoup de ses compatriotes, que la terreur cesserait. Ces errements étaient aussi dus aux rapports étranges qu'il entretenait avec Staline. Pasternak n'était pas encore totalement dégagé des illusions de sa jeunesse et vivait sous l'étrange « influence maléfique » du tsar rouge.

# Pasternak et Staline

À ce moment, Pasternak subissait involontairement les aléas de la vie sentimentale de Staline. La vie intime du dictateur fut toujours entourée du plus grand secret. S'il morigénait sa fille à cause de ses tenues qu'il jugeait trop osées, il ne menait pas pour autant la vie d'un moine. Les lettres enflammées qu'il écrivit dans les années 1920 à sa seconde épouse, Nadejda Allilouïeva, le prouvent. Tout au long de sa vie, Staline eut des maîtresses. En exil en Sibérie, avant la révolution de 1917, il vécut longtemps avec une paysanne. Plus tard il fut l'amant de sa belle-sœur. Vers la fin de sa vie, il se consola avec sa gouvernante, une corpulente jeune femme d'origine paysanne. Au début des années 1930, les querelles de Staline et de son épouse étaient courantes. Elles prenaient parfois une tournure si violente que le dictateur devait envoyer leurs deux enfants chez ses beaux-parents. Mais en 1932, un drame survint.

Le 9 novembre, soir de la célébration du quinzième anniversaire de la révolution d'Octobre, Staline flirta avec l'épouse d'un de ses généraux. Terriblement jalouse, sa femme fit tout pour attirer l'attention de son époux, qui ne la regarda pas. Staline leva son verre pour célébrer la liquidation des « ennemis de l'État ». Mais Nadejda s'y refusa. « Hé toi ! Bois un coup ! » lui aurait alors lancé Staline. « Mon nom n'est pas "Hé toi" ! » aurait répondu sa femme, blessée. Elle quitta le dîner, suivie de la femme de Molotov, le bras droit de Staline à l'époque. Après avoir discuté avec son amie, Nadejda se rendit dans l'appartement du Kremlin et se tira une balle dans la région du cœur… Son suicide fut caché à la population russe. La presse de Moscou parla d'un « décès subit », on annonça au peuple qu'elle avait succombé à une appendicite. Molotov attribua ce geste tragique tantôt à une maladie héréditaire (Nadejda souffrait de maux de tête insupportables), tantôt à une énième passade de Staline avec sa jeune coiffeuse.

En novembre 1932, l'Union des écrivains envoya des condoléances officielles au dictateur. Touché par cette mort, Pasternak ajouta quelques lignes de sa main : « Je m'associe aux sentiments des camarades. La veille, j'avais profondément et intensément pensé à Staline ; pour la première fois en artiste. Le matin, je lisais la nouvelle. Je suis bouleversé comme si j'avais été là, comme si je l'avais vécu et vu. »

Cette phrase réveilla-t-elle l'esprit superstitieux de Staline, sensible au surnaturel, comme tous les tsars de la Russie qui s'entouraient de devins et de guérisseurs ?

Le chef du Kremlin n'oublia pas les mots de Pasternak. Amateur de revues littéraires, le tsar rouge connaissait bien le nom de l'écrivain. Pour Staline, les auteurs communistes étaient « les ingénieurs des âmes humaines ». Or, selon lui, la « fabrication des âmes » était « plus importante que celle des chars ». En outre, il était sensible au fait que Pasternak s'intéresse à la poésie de sa Géorgie natale et la traduise de manière systématique.

Au printemps 1934, un appel téléphonique interrompit le dîner de Pasternak. Il décrocha. On lui dicta le numéro auquel il devait joindre Staline au Kremlin. La voix du dictateur se fit alors entendre, surréelle : « Pasternak ? Que pensez-vous d'Ossip Mandelstam ? » Le grand poète venait d'être arrêté pour avoir composé une épigramme assassine contre Staline, intitulée *Le Montagnard du Kremlin* :

*Nous vivons sourds à la terre sous nos pieds,*
*À dix pas personne ne discerne nos paroles.*

*On entend seulement le montagnard du
    Kremlin,
Le bourreau et l'assassin de moujiks.*

*Ses doigts sont gras comme des vers,
Des mots de plomb tombent de ses lèvres.
Sa moustache de cafard nargue,
Et la peau de ses bottes luit.*

*Autour, une cohue de chefs aux cous de
    poulet,
Les sous-hommes zélés dont il joue.
Ils hennissent, miaulent, gémissent,
Lui seul tempête et désigne.*

*Comme des fers à cheval, il forge ses décrets,
Qu'il jette à la tête, à l'œil, à l'aine.
Chaque mise à mort est une fête,
Et vaste est l'appétit de l'Ossète.*

Il existe plusieurs versions de ce célèbre dialogue, qui toutes remontent au récit oral que Pasternak en fit. Il n'a pas voulu en laisser un témoignage écrit définitif. L'histoire veut donc que Pasternak ait répondu à Staline : « En fait, nous n'avons jamais été amis. Plutôt l'inverse. Sa fréquentation me pesait. Mais j'ai toujours souhaité vous parler. » Selon une des versions, Pasternak aurait ajouté « de la vie et de la mort ».

« Nous autres, les bolcheviks de la vieille école, nous ne renions jamais nos amis », répondit laconiquement le dictateur.

Le bref et violent poème de Mandesltam restera dans les mémoires sous le titre de *L'Ogre ossète* (la mère de Staline appartenait à l'ethnie minoritaire des Ossètes de Géorgie). Il allait valoir à son auteur trois ans d'exil, puis, après une nouvelle arrestation, la mort par la faim et le froid en 1938, lors d'un transfert dans un camp de Sibérie. Cela, Pasternak ne pouvait pas encore le savoir, mais la terreur était là, qui appelait au téléphone et dont il avait entendu le souffle à l'autre bout du fil.

Mon ami, l'écrivain américain Robert Littell, a décrit dans *L'Hirondelle avant l'orage* les rapports entre Staline et les poètes, en particulier le duel tragique avec Mandelstam. Durant la grande famine provoquée en Ukraine pour mater les paysans, Pasternak affirmait que « Staline ne savait pas ». Mandelstam répondait : « À chaque tête qui tombe, il sait ! » Dans les rapports avec ses interlocuteurs, surtout avec les artistes, le dictateur du Kremlin utilisait une machinerie intellectuelle bien huilée. Pris de court, troublé, Pasternak fut manipulé par Staline. Le dictateur avait atteint son but en laissant son interlocuteur déconcerté. Le poète revivrait jusqu'à la fin de ses jours cette conversation avec le « Guide », pesant et soupesant chacune de ses répliques. « Ai-je répondu correctement ? Ai-je condamné Ossip au pire ? »

*A posteriori* les intellectuels russes ont souvent reproché à Pasternak de ne pas avoir défendu Mandelstam. Pourtant, dans ses mémoires, la femme du poète persécuté, Nadejda Mandelstam, trancherait : « La seule personne qui [...] vint me voir, ce fut Pasternak. Ayant appris la mort de Mandelstam, il accourut. À part lui, personne n'avait osé. »

Pasternak fut donc étrangement épargné par les purges. Pourquoi ? Le poète lui-même n'avait pas d'explication rationnelle : tout était le jeu du hasard. Plus tard, il répéterait : « Durant cette période sanglante, personne n'était à l'abri d'une arrestation. Nous étions battus comme un jeu de cartes. » Le juge d'instruction Lev Cheïne témoigna du fait que, chaque fois que l'on proposait à Staline d'arrêter Pasternak, l'homme d'acier coupait court en déclarant : « Laissez tranquille cet habitant du ciel ! »

Ce coup de téléphone avait établi un lien psychologique entre le poète et le dictateur. Pasternak fit tout ce qu'il put pour le renforcer et le rendre durable. Il déclara en 1935, dans une lettre adressée à Staline : « Je me soumets à quelque chose de mystérieux qui, en plus de ce que tout le monde comprend et partage, m'attache à vous... » Sa relation avec le régime stalinien fut profondément ambivalente. En adoptant une conduite ambiguë envers le dictateur, Pasternak s'imaginait qu'il désarmerait la méfiance des autorités à l'égard de son œuvre trop excentrique dans la forme et le fond.

D'ailleurs, dans ces années terribles, Pasternak était plutôt reconnu par le pouvoir soviétique. En 1934, il eut la possibilité de s'exprimer au premier congrès de l'Union des écrivains soviétiques. La salle lui fit une ovation debout. Cependant, entre mars et août 1935, Pasternak fut de nouveau en proie à une dépression clinique sévère, marquée par l'insomnie et des obsessions. Dans cette période difficile, à la demande expresse de Staline, il fut obligé de faire partie de la délégation des intellectuels moscovites au Congrès des écrivains antifascistes à Paris en 1935. Les intellectuels français avaient fait pression sur le Kremlin pour que Pasternak et l'écrivain russe Isaac Babel vinssent.

L'idée d'un congrès antifasciste émanait d'Ilya Ehrenbourg, journaliste et homme de lettres proche du Kremlin, qui joua un rôle d'intermédiaire entre l'URSS et l'élite intellectuelle occidentale. Le 21 juin 1935, le Congrès rassembla à la Mutualité de Paris un aréopage éblouissant des plus grands esprits d'Occident: André Gide,

Alexis Tolstoï, Anna Seghers, André Malraux, Bertolt Brecht, Henri Barbusse, Heinrich Mann, Marina Tsvétaïéva, Lion Feuchtwanger, Paul Vaillant-Couturier, Jean-Richard Bloch, Tristan Tzara, Louis Aragon... À la différence de nombreux écrivains qui refusèrent de se joindre à cette parade, tels George Bernard Shaw, H. G. Wells, Thomas Mann, Georges Duhamel, Upton Sinclair ou Jules Romains.

Staline ambitionnait de créer une vaste organisation fédérant les plus éminents intellectuels d'Europe et d'Amérique. Ainsi retentirent les premières mesures de l'« orchestre rouge ». Sous la forme d'un manifeste contre la guerre impérialiste, la partition allait en être signée tour à tour par Willi Münzenberg, député au Reichstag et l'un des chefs de file de la propagande parallèle du Komintern, par Henri Barbusse, Upton Sinclair puis Maxime Gorki. Si le Congrès fut présenté comme une initiative spontanée, la majorité de ses membres ignorait qu'elle était manipulée par le Kremlin. En effet, les télégrammes de Moscou – en réponse aux rapports télégraphiques codés envoyés quotidiennement par l'ambassade soviétique au Kremlin, au NKVD et au Komintern, informant de l'état d'esprit de l'assemblée – indiquaient aux chefs d'orchestre les décisions que le Congrès devait adopter.

Le succès de l'entreprise détourna l'attention d'un autre fait, plus inquiétant et symptomatique. Maxime Gorki n'avait pas été autorisé à se rendre à Paris. En revanche, Staline avait consenti à laisser Romain Rolland lui tenir compagnie durant quelque temps. Aussi saluèrent-ils tous deux le Congrès par un télégramme. Henri Barbusse, quant à lui, retourna à Moscou, galvanisé par le sentiment d'avoir accompli son devoir de combattant ; les communistes français, et surtout soviétiques, pouvaient être satisfaits. Pasternak revint de ce voyage par bateau, déstabilisé et souffrant d'une véritable dépression nerveuse. Il débarqua à Leningrad dans un état de faiblesse tel qu'il se crut sur le point de mourir. Le 6 octobre 1935, il écrivait à son ami géorgien Tabidzé : « J'ai cru que les angoisses de la solitude allaient me rendre fou [...] mais je n'ai nullement l'intention de me soigner, ou de partir où que ce soit en convalescence. Je veux essayer de travailler. Voici plus de quatre mois que je ne fais rien ! » Affolée par ses malaises à répétition, la femme de Pasternak accourut pour lui prodiguer ses soins. Passant d'une maison de repos à l'autre, Pasternak ne se plaisait nulle part. Pour tout oublier, il se plongea dans une traduction de *Hamlet*. Il espérait toujours créer son propre univers en dehors du temps. Sa cousine Olga décrivait un être « qui n'appartenait pas à ce monde ».

Le poète avait vu ses conditions de vie s'améliorer. Il avait pu s'installer avec sa nouvelle épouse dans un petit appartement du vieux quartier marchand de Moscou, dans la ruelle Lavrouchenski. Le couple avait surtout bénéficié du droit d'occuper une datcha. Pasternak faisait désormais partie des écrivains privilégiés à qui l'on octroyait pour un prix symbolique la possibilité d'être logé au cœur des pins et des bouleaux à Peredelkino, village situé à vingt kilomètres à l'ouest de la capitale. La construction des datchas y avait commencé en 1934. Cet ensemble de maisons de bois assez cossues s'étendait depuis le village traditionnel de paysans. Il était destiné à l'élite urbaine intellectuelle du pays qui y menait une vie simple, rythmée par les saisons.

Une datcha désigne aussi bien la cabane à lapins que le pavillon d'une pièce sur un terrain grand comme un mouchoir de poche, au milieu de tout un complexe de pavillons identiques serrés les uns contre les autres, ou encore le palais confisqué à l'aristocratie tsariste, en passant par la modeste mais agréable maisonnette campagnarde de village, sans eau courante. Sans oublier la villa moderne et luxueuse construite pendant la période récente. Les dirigeants du Parti possédaient des domaines de plusieurs hectares offerts par l'État. Les personnalités les plus importantes bénéficiaient de la présence de policiers en uniforme, postés aux carrefours pour empêcher les automobilistes égarés de s'engager sur leurs chemins d'accès. C'est encore le cas aujourd'hui. Des agents en civil sont même cachés dans les bois. Les propriétés sont entourées de hautes grilles vertes. De grands panneaux signalent aux curieux l'interdiction d'emprunter les voies menant aux datchas de l'élite, nichées sous les sapins.

Mais pour Pasternak, la datcha était surtout un mot magique. Il évoquait l'évasion de la ville encombrée vers le calme de la campagne et représentait aussi une certaine liberté, effaçant les différences sociales. Au printemps, dans sa datcha, Pasternak se mettait en caleçon pour travailler au jardin, puis il prenait une douche froide avant d'aller déjeuner. Il dégustait les mets délicieux préparés par son épouse et allait se reposer une heure avant d'écrire. Un éden à la russe, en pleine terreur stalinienne. Pasternak ne pouvait se passer de l'ambiance feutrée et joyeuse créée par sa femme. Il avait un sincère respect pour son aptitude à organiser la vie de tous les jours. Zinaïda était devenue sa muse à part entière. «Zinaïda, tu ne regrettes pas ta carrière de pianiste?» lui demandait-il parfois, sachant qu'elle avait joué dans sa jeunesse du piano à quatre mains avec le virtuose Vladimir Horowitz. « J'admire ton génie. J'aime susciter en toi le désir de créer, être ton inspiratrice. » Dans *Sauf-conduit*, il évoque la relation avec sa femme comme « une sorte de "moi, c'est toi" d'une absolue perfection » qui « les lie désormais par tous les liens imaginables et, dans un mouvement rempli de fierté, de jeunesse et d'épuisement, frappe une médaille à leurs profils superposés. »

Dans ce village de gens de lettres qu'était Peredelkino, les amis se retrouvaient pour se baigner dans le lac, puis se réunissaient le soir dans la grande datcha de six pièces des Pasternak. Les invités descendaient chaises et tabourets au rez-de-chaussée et se rassemblaient autour du festin que Zinaïda avait préparé : du vin, de la vodka, du *kvas* – une sorte de « bière de pain » fermentée – pour accompagner caviar, harengs marinés et pickles, parfois suivis d'un ragoût de gibier... Durant l'été 1938, Pasternak acheva sa traduction de *Hamlet*, aussitôt appréciée à travers tout le pays.

Entre 1937 et 1939, les cartes de rationnement furent supprimées et l'on adopta une nouvelle Constitution. La célébration du nouvel an, interdite depuis 1929, fut de nouveau autorisée. Chacun s'efforçait de garder espoir et de déceler des indices, réels ou imaginaires, de l'évolution du régime. Cette décennie de terreur avait rendu Pasternak malade, physiquement et moralement. Sa femme tentait de le sortir de sa torpeur et créait toutes les conditions nécessaires pour qu'il puisse travailler. Mais la guerre allait vivement éprouver l'amour du couple : Zinaïda connaîtrait le pire drame possible pour une mère. Tandis que Boris pensait se séparer d'elle, la guerre contre l'Allemagne nazie changea ses plans.

## La guerre

Le 21 juin 1941, les vacances scolaires venaient de commencer. Pour cette première journée d'été, beaucoup de Moscovites se rendirent au match de football. L'équipe de la capitale, le Dynamo, perdit son match. Au Bolchoï on jouait *Rigoletto*.

Malgré le désaveu de ses généraux et sans la moindre déclaration de guerre, Hitler avait ouvert un grand front à l'Est. À 3 heures du matin, le 22 juin, plus de 150 divisions, 600 000 pièces d'artillerie et près de 3 000 avions allemands, renforcés par des troupes hongroises et slovaques, ouvrirent – selon la formule du Führer – « le bal militaire contre l'URSS ». L'avancée allemande fut spectaculaire. Sur les lignes de front, c'était le chaos. L'objectif de Hitler était d'établir une ligne de défense contre la Russie asiatique, suivant un tracé allant de la Volga à Arkhangelsk. En septembre, les Allemands étaient à moins de 70 kilomètres de Moscou. Il était temps que les Soviétiques montrent qu'ils ne se laisseraient pas faire.

Pendant cette période, la vie des Pasternak fut chahutée. Zinaïda et ses enfants furent évacués en Tartarie comme toutes les familles d'écrivains. Elle se consacra avec un dévouement légendaire à une maison pour enfants abandonnés. Valentin Kataïev, qui la vit à l'œuvre, me disait qu'elle était alors d'une abnégation exceptionnelle et s'occupait des orphelins mieux que de ses propres enfants. Resté à Moscou, Pasternak continuait d'écrire pour les journaux. Dans les lettres adressées à sa femme, il confiait ces mots qu'il pensait les derniers : « Cela fait trois nuits que l'on bombarde Moscou [...]. Je suis sur le toit de notre immeuble pour la surveillance des incendies [...]. Que de fois, la nuit dernière, lorsque tombaient et explosaient des fougasses et obus incendiaires [...], j'ai fait mentalement mes adieux, ma chérie. Merci pour tout ce que tu m'as donné et apporté. Tu as été la meilleure part de ma vie et nous n'avons pas assez compris, ni l'un ni l'autre, combien tu étais profondément ma femme et ce que cela signifiait [...]. Tout autour de nous, c'était la canonnade et une mer de flammes. Je t'étouffe dans mes bras...»

Pasternak n'oublierait jamais ces mois terribles. En octobre 1941, les canons antiaériens illuminaient le ciel, tandis que le Kremlin à demi déserté disparaissait dans l'obscurité sous un étonnant accoutrement. On avait en effet peint sur une vaste toile les façades d'une rangée de maisons : un véritable décor de théâtre faisait face au fleuve. En revenant de Peredelkino, Pasternak avait vu à la gare une foule de femmes, d'enfants et de vieillards encombrant la place. Le froid était perçant, les enfants pleuraient, mais tous attendaient les évacuations, résignés et patients.

Plus personne ne respectait la loi. À la mi-octobre 1941, l'anarchie régnait à Moscou. Les magasins furent pillés et les appartements vidés. Les réfugiés erraient dans les rues, harcelés par des bandes de voyous. Des nuages de fumée flottaient au-dessus de la capitale car les fonctionnaires brûlaient leurs archives. Pasternak s'interrogeait : Staline allait-il lui aussi quitter Moscou ?

Malgré cette situation critique, le maître du Kremlin avait décidé de rester dans la capitale et de faire même défiler ses troupes : «Je tiens à ce qu'un défilé militaire ait lieu le 7 novembre. Si jamais un raid aérien se produit pendant la parade et qu'il y a des morts et des blessés, il faudra évacuer ceux-ci rapidement pour que le défilé puisse continuer. Il faudra filmer l'événement et le projeter dans tout le pays. Je ferai un discours. »

Quand on demanda à quelle heure la parade commencerait, Staline indiqua : « Que personne ne le sache, jusqu'à la dernière minute. Pas même moi ! » Une semaine plus tard, quelques Moscovites, supervisés par des agents de la police secrète, réquisitionnèrent les fauteuils du Bolchoï et les transportèrent le plus discrètement possible – bien que peu de choses eussent échappé à l'œil des espions allemands – à la station de métro Maïakovski.

Le même soir, on y vit un train à quai, les portes ouvertes. À l'intérieur des wagons, des tables couvertes de sandwichs et de boissons attendaient les convives. À peine eurent-ils pris place sur les sièges de théâtre que l'orchestre entonna l'air de Glinka. Le dictateur entra dans le wagon transformé en chaîne de radio, d'où Levitan, speaker des grands jours historiques de la guerre, présentait les actualités. Staline parla une demi-heure, lentement et d'une voix faible : « S'ils veulent la guerre totale, ils l'auront. »

La parade devait commencer le 7 novembre à 8 heures du matin. Peu avant l'heure, alors qu'un vent glacial et une tempête de neige soufflaient sur Moscou, rendant peu probable une attaque allemande, Staline grimpa les marches menant au mausolée. Le décor rappelait les grands drames de la Russie éternelle : la volupté des neiges, les coupoles des cathédrales du Kremlin – tout reconstituait l'atmosphère de l'opéra *Boris Godounov.*

« La guerre est apparue comme une tempête purificatrice, une bouffée d'air pur, un vent de délivrance, écrivit Pasternak. La réalité de ses horreurs, du danger qu'elle nous faisait courir, de la mort qu'elle suspendait au-dessus de nous, la menace, a été un bien auprès de la domination inhumaine de l'imaginaire ; la guerre nous a apporté un soulagement parce qu'elle limitait le pouvoir magique de la lettre morte. Les forçats n'ont pas été les seuls à respirer soudain plus librement, à pleins poumons : tous, sans exception, à l'arrière comme au front ont ressenti un véritable bonheur en se jetant avec ivresse dans le creuset d'une lutte terrible, mortelle et salutaire. »

Pendant la guerre, il fut aux côtés de ses compatriotes. « Nous vivions dans l'attente de la liberté », constatait-il. En tant qu'écrivain, cependant, il n'était pas placé sur le devant de la scène. Ses confrères proches du pouvoir rédigeaient des feuilletons patriotiques pour mettre en valeur l'héritage des grands princes et des tsars de toutes les Russies, symboles de la victoire contre l'Allemagne. Notre poète, pour sa part, était simplement venu au front pour s'associer aux combattants contre les nazis. Il s'y rendit avec une « brigade d'écrivains », afin de raconter le courage des simples soldats prêts à mourir pour la patrie. Il consacra des poésies très émouvantes à la ville d'Orel qui venait d'être libérée. Son reportage « Le voyage à l'armée » parut le 20 novembre 1941 dans le journal *Le Travail*.

Sous les premiers raids aériens, l'amour de Pasternak pour Zinaïda se réveillait. Il lui écrivit de Moscou : « Quel bonheur que tu sois à moi ! Quelle horreur si tu étais à quelqu'un d'autre ! J'en serais fou de douleur et j'en serais mort… » Le 17 octobre 1942, il lui assura que, quelle que soit l'issue de la guerre, il reviendrait auprès d'elle. Pour le poète, cette femme exceptionnelle incarnait la Russie combattante dont ses enfants seraient les futurs citoyens. Leurs échanges devaient être tumultueux.

« Mais je m'inquiète de te voir en panne d'imagination poétique… » répondit Zinaïda.

« Mon roman est déjà en gestation. Je pourrais probablement écrire quelque chose de très personnel et je regrette de ne pas avoir le courage de tout envoyer promener et de m'y mettre. Tu me manques. Je serai vite auprès de toi. »

La vie à Moscou restait très difficile. Dans une lettre à sa cousine Olga, Boris dressait le bilan des combats : « Dans notre immeuble était installée une batterie de défense antiaérienne. Les soldats ont transformé tout l'étage en lieu de passage, laissant les portes grandes ouvertes. [...] La vie est très difficile en ce moment, sans un coin à soi, sans meubles, il faut tout recommencer. » Le malheur frappa alors la famille Pasternak comme jamais.

Quelques années auparavant, Adrian, Adik pour les intimes, l'aîné des deux garçons que Zinaïda avait eus avec son premier mari, sautait régulièrement à skis depuis le toit du garage de la datcha de Peredelkino. En décembre 1936, il rata son saut et atterrit sur une pique de la clôture cachée sous la neige. Zinaïda accourut en entendant son hurlement... L'enfant fut immédiatement amené au sanatorium voisin et examiné par le directeur, l'éminent professeur Popov. Son pronostic fut terrible : de telles ecchymoses finissaient souvent par la tuberculose osseuse. Pour le garçon de 9 ans, c'était le début d'un véritable calvaire.

Il sentit les premiers signes de la maladie trois ans plus tard, en 1939. Rapidement, il perdit du poids et se plaignit de maux de tête. Les séjours en hôpital et au sanatorium s'enchaînaient. Afin de ralentir le développement de la maladie, les médecins l'amputèrent d'une jambe en 1942. Il mourut en avril 1945 d'une méningite tuberculeuse qu'il avait attrapée lors d'une convalescence en sanatorium.

Pasternak considérait ce destin tragique comme une punition divine. La maladie qui frappait cet enfant innocent, de surcroît en pleine période de terreur, sa mort à la fin de la guerre devenaient des événements mystiques... «Les souffrances des petits infirmes ne pourront pas être oubliées», écrivait le poète. Désormais il éprouvait un profond sentiment de culpabilité. Non seulement il avait survécu à la terreur contrairement à nombre de confrères, mais il pensait qu'Adrian avait payé à sa place, lui qui avait brisé le premier mariage de sa mère.

Quant à Zinaïda, qui souffrait déjà de la séparation avec son époux imposée par la guerre, la mort de son fils l'anéantit. Pendant quatre jours, le corps de ce dernier était resté à la morgue pour y subir des examens. Lorsque Zinaïda revit son fils, il avait déjà été embaumé. Tandis qu'elle le berçait, elle constata, terrifiée, que sa tête était «aussi légère qu'une boîte d'allumettes» : les médecins lui avaient enlevé le cerveau. Puis vint le moment d'enterrer les cendres d'Adrian dans le jardin de la datcha à Peredelkino.

Confrontée à cet incommensurable malheur, Zinaïda pensait chaque jour au suicide.

Pasternak la soutint, tenta de la réconforter, mais elle devenait l'ombre d'elle-même. Désormais toute intimité avec Pasternak était un sacrilège et elle se refusait à lui. Encore une fois, Kataïev fut un témoin privilégié : « D'un coup, Zinaïda n'exista plus comme femme. Pasternak, en restant avec elle, fit preuve de grandeur d'âme. »

Après la guerre, Pasternak sembla reprendre espoir. Le poète retrouvait le plaisir du contact direct avec un public qui l'adulait. Ses œuvres étaient traduites à l'étranger, ses traductions de Shakespeare unanimement applaudies par les Anglais. Au début du mois de janvier 1946, il commença un roman qu'il considérait comme l'œuvre de sa vie. Il confia son rêve à Olga, sa cousine et habituelle confidente, dans une lettre du 13 octobre 1946 : « Il y a un point sur lequel je vais essayer de me reprendre en main, c'est le travail. Je t'ai déjà dit que j'ai commencé à écrire un grand roman en prose. Au fond, c'est mon premier travail véritable. Je veux y donner le tableau historique de la Russie au cours de ces derniers quarante-cinq ans, et, en même temps, montrer toutes les facettes de mon sujet, dur, triste et élaboré en détail... comme idéalement chez un Dickens ou un Dostoïevski. Ce travail sera l'expression de mes vues sur l'art, sur l'Évangile, sur la vie de l'homme dans l'Histoire

et sur beaucoup d'autres choses encore […].
L'atmosphère du livre, c'est mon christianisme
un peu différent dans sa largeur de celui des
quakers ou de Tolstoï, dérivé d'autres aspects de
l'Évangile que ses aspects moraux. »

Il n'avait pas encore choisi le titre de ce livre.
Au début, ce devait être *L'Expérience d'un Faust
russe.* Pasternak désirait y conter le destin « de
quelques-uns de [sa] génération, dont [lui]-
même, sous la dictature ». Paradoxalement, il se
sentait terriblement libre, plus qu'avant la guerre.
Comme tant d'autres revenus du front, il s'était
mis à espérer une vie nouvelle. Il devenait de plus
en plus impitoyable vis-à-vis du système soviétique. « La victoire, exprimait-il encore dans *Le
Docteur Jivago,* n'avait pas apporté la lumière
et la délivrance qu'ils en attendaient ; pourtant
les signes avant-coureurs de la liberté flottaient
dans l'air depuis la fin de la guerre, et ces années
n'avaient pas d'autre contenu historique. »

Quelques mois plus tard, Pasternak dut réa-
gir aux nouvelles campagnes d'Andreï Jdanov
contre les intellectuels. Celles-ci avaient été
entamées avec la publication, les 26 août et 4 septembre 1946, d'une série de décrets condamnant les revues littéraires *Zvezda* (L'Étoile) et
*Leningrad* pour leur soutien à des ouvrages
politiquement néfastes, notamment à ceux de

la grande poétesse Akhmatova et au brillant humoriste Zochtchenko, accusés de « salir leur pays en obéissant aux ordres de l'Occident ».

Face à ces attaques, Pasternak exprimait dans ses lettres sa fureur, parlant d'un « retour aux cruautés et aux sophismes des années les plus bêtes et les plus sombres d'avant-guerre ». Il n'en fut pas pour autant arrêté. Le dictateur continuait étrangement d'épargner l'« habitant du ciel ». Les dirigeants de l'Union des écrivains, pour leur part, accusèrent Pasternak de s'être « coupé du peuple ». La *Literaturnaïa Gazeta* (la Gazette littéraire) du 7 septembre 1946 lui reprocha notamment d'ignorer la grandeur du peuple et de se réfugier dans des travaux de traduction qui lui apportaient de quoi vivre... D'être en somme « un poète aux horizons limités à l'enclos de sa datcha, un émigré de l'intérieur ».

Le désespoir s'empara à nouveau de Pasternak. À Nina Tabidzé, la veuve de son ami géorgien, il écrivit : « Tout est redevenu comme avant... Cette fois, tous veulent ma peau. Je suis dévoré comme un hareng de la tête à la queue. »

*« Et sur la table une chandelle brûlait,*

*brûlait… »*

L e mois d'octobre 1946 fut particulièrement froid à Moscou. Une neige fine et piquante rougissait les pommettes des passants. Pasternak se rendit au siège de sa revue littéraire préférée *Novy Mir* (le Nouveau Monde). Le poète était toujours très populaire et son entrée attira tous les regards; les Russes placent la poésie au-dessus de tous les arts. Il remarqua tout de suite une jeune femme, grande blonde aux yeux gris. Une dame d'un certain âge aux verres de lunettes épais la saisit par le bras et s'adressa à Pasternak: « Laissez-moi vous présenter Olga Ivinskaïa… une de vos admiratrices ! » dit-elle aimablement.

Celle qui allait devenir l'un des symboles de la féminité du XXe siècle en inspirant la Lara du

*Docteur Jivago* était secrétaire de la rédaction. Flatté et séduit, Pasternak s'exclama : « Il est intéressant de constater qu'il me reste encore une admiratrice ! »

Pasternak revint presque quotidiennement dans les bureaux de la revue. Il offrit à Olga ses recueils de poèmes, puis lui rendit visite chez elle. Ils firent des longues promenades à travers les ruelles du centre de Moscou, le long des murailles de brique rouge des monastères. La neige crissait sous leurs pas, les carillons tristes des horloges sonnaient les demi-heures et les heures, Pasternak était amoureux. Il avait besoin de s'exprimer et Olga était suspendue à ses lèvres. Bien sûr, il voulut aussi connaître l'histoire de sa vie.

La jeune femme était née en 1912 dans le centre de la Russie. Sa famille était venue s'installer à Moscou trois ans plus tard. Elle raconta ses études à l'université ainsi que son entrée en 1943, en pleine guerre, dans la revue littéraire où elle s'était vue confier la gestion de la section des jeunes auteurs. Les drames avaient déjà marqué sa vie. Olga était deux fois veuve. Son premier mari s'était suicidé en apprenant qu'il était trompé. Quant au second, une véritable crapule qui périrait sur le front, il avait dénoncé sa belle-mère pour propos diffamatoire à l'encontre de Staline. La pauvre femme avait passé trois ans sous les verrous, mais sa fille Olga, fidèle à son caractère volontaire et intrépide, avait réussi une performance incroyable : ne pas hésiter à rendre visite au directeur de la prison. Avec de l'argent et du charme, elle était parvenue à libérer sa mère.

Aussi épris fût-il d'Olga, Pasternak ne voulait rien changer à sa vie. Il désirait l'aimer sans quitter sa femme. Trop d'épreuves, trop de combats communs les unissaient. « C'est la vie ! disait-il, philosophe. Et qu'est-ce que la vie, sinon l'amour ? Ce merveilleux soleil est entré dans la mienne et c'est si bien. » Au début de l'année 1947, le poète envoya un billet à Olga. Malgré le vouvoiement, cette première lettre scella ce coup de foudre inattendu : « De tout mon cœur, je vous adresse encore une fois mes meilleurs vœux, vous êtes merveilleuse, je voudrais bien que la vie vous soit douce. »

Encore une fois, ce n'était pas simple. Une frontière invisible se dressait entre Pasternak et la jeune femme. Non seulement leurs familles et leurs enfants, mais également une appartenance à des milieux tout à fait différents faisaient obstacle à leur union. Ils avaient un seul atout : leur amour. Ils s'y jetèrent à corps perdu. Pasternak en évoque le feu dans son poème « Nuit d'hiver » :

*Sur le plafond de vagues ombres*
*Se dessinaient,*

*Et s'entrelaçaient bras et jambes,*
*Destins croisés.*

*Et deux souliers tombaient à terre,*
*Un bruit discret.*
*Du lumignon pleurait la cire,*
*Sur le corset.*

*Tout s'effaçait dans la rafale*
*Qui blanchoyait,*
*Et sur la table une chandelle*
*Brûlait, brûlait.*

Ce fut une période heureuse. Après avoir passé la nuit entière à s'aimer, ils marchaient, épuisés, sous les tilleuls des boulevards de Moscou. L'éblouissante floraison des arbres distillait une odeur de miel. Le temps commandait une grande prudence, car les mouchards étaient partout : un Soviétique sur cinq travaillait pour la police. Les questions politiques touchant le régime stalinien étaient absentes de leurs conversations. En revanche, chaque escapade fut prétexte à glorifier les petites choses de la vie comme les pins, les buissons fleurissants ou les bouleaux aux feuilles vert clair. Le poète immortalisa aussi la courette de la maison d'Olga et même le kimono imprimé à la longue ceinture nouée dans le dos que sa bien-aimée arborait lorsqu'elle lui ouvrait la porte. Il se souvint aussi de leurs promenades hivernales, sublimes instants de bonheur où la brûlure radieuse du soleil contrastait avec le froid venant des tripes même de cette Russie que le poète aimait tant. Pasternak allait souvent seul à Moscou pour y voir Olga. J'ai plaisir à imaginer les amants étendus sans dormir jusqu'à l'aube, regardant derrière la fenêtre les premiers rayons du soleil…

Olga sursauta. Se dressant sur un coude, la poitrine découverte, les cheveux défaits, elle fixa sur Pasternak un regard éperdu.

« Il faut que je m'en aille, dit-il avec précaution.

– Tu pars déjà ? » murmura-t-elle à son amant.

Reprenant ses esprits, elle se couvrit soudain la poitrine de ses bras croisés.

« Où vas-tu ? Tu rentres chez toi, n'est-ce pas ? Qu'est-ce que je vais devenir ? Que comptes-tu faire avec ta femme ? »

Caressant d'une main distraite et tendre ses cheveux, il ne répondit pas.

Leurs explications étaient parfois plus violentes. Comme souvent dans de pareils cas, la mère d'Olga en vint à exiger que les amants « normalisent » leurs relations. Elle voulait que Pasternak quitte sa femme et épouse sa fille. Ses incursions provoquaient de nouvelles confrontations et des disputes. Le poète, qui détestait les scandales, fut blessé par ces scènes qu'il qualifiait de « mauvais romans ». Olga dirait plus tard qu'elle avait honte de ces « scènes stupides ».

Zinaïda, de son côté, comprit vite la situation et lui proposa d'emblée de divorcer. Mais le poète ne l'entendait pas ainsi. Il menaça de se donner la mort si elle le quittait. Lorsque leur fils cadet tomba gravement malade, d'une pneumonie dont il se remettrait *in extremis*, Pasternak jura à sa femme qu'il ne reverrait plus Olga.

Pour éviter toute confrontation directe entre les deux femmes, Pasternak fit semblant de se plier aux règles de Zinaïda. S'il était attaché à Olga, il voulait aussi ménager la jalousie des deux femmes. « La maîtresse est celle qu'on ne peut pas tromper », disent les Russes. Fidèle à ce précepte, Pasternak ne voulait rien changer à sa situation.

Olga expliquerait son attitude d'une manière très pragmatique dans ses mémoires : « Certes, il n'était pas sybarite, mais il lui fallait un minimum de confort dans la vie quotidienne et une certaine tranquillité pour travailler. Surtout face à l'hostilité du régime. » Comme toujours, Pasternak évoluait en amour sur des sables mouvants. Pour l'épouse trompée, tout était suspect : une intonation, un geste, un coup de téléphone, un parfum venu de l'extérieur. Se sentant menacée, elle se transforma peu à peu en une sorte de « gendarme », selon le mot assassin de son mari.

Olga préférait se convaincre qu'elle était la muse par excellence, l'égérie immortalisée dans une grande œuvre. Certes, elle avait parfois d'inévitables accès de jalousie et de colère ; il lui arrivait de décrocher du mur les photos de son amant pour les remettre après s'être calmée.

En 1949, en dépit de ses difficultés politiques, Pasternak se disait comblé. Mais le piège tendu par le régime stalinien allait se refermer sur lui. Il ne s'y attendait pas. Il était pressenti par le milieu intellectuel anglais pour le prix Nobel de littérature. À l'époque, Staline avait lancé une campagne d'essence antisémite contre le « cosmopolitisme », et la perspective du Nobel n'était guère appréciée par le Kremlin. Chaque jour le poète guettait les hommes de la police secrète.

En octobre 1949, c'est Olga, et non Pasternak, qui fut arrêtée. L'accusation fut portée en vertu de l'article 58-10, relatif à la « proximité des personnes suspectées d'espionnage ». Officiellement, elle était accusée de s'être approprié l'argent d'une petite pige écrite par un autre dans un journal. Plus tard, le KGB reconnaîtrait qu'elle avait été incarcérée pour « antisoviétisme ». Olga révéla alors qu'elle attendait un enfant. Ses geôliers l'emmenèrent à la morgue pour l'y laisser auprès des cadavres toute une nuit. Quand elle retourna dans sa cellule, elle perdit son bébé.

Pendant ce temps, Pasternak s'occupait de la famille d'Olga et lui faisait parvenir des lettres par l'intermédiaire de sa mère. Quand le poète annonça à Zinaïda qu'Olga avait été arrêtée, l'épouse de Pasternak répondit sèchement : « Pourquoi pas moi ? J'ai vécu plus longtemps avec toi ! » Elle ne pouvait envisager qu'Olga eût été incarcérée pour un autre chef que sa liaison avec Pasternak. Olga passa plus de quatre ans au Goulag, supportant souffrances et insultes.

Durant les interrogatoires, on lui demanda ce qu'elle trouvait à Pasternak, « ce vieux juif ». Elle avait 37 ans et son bien-aimé, 59. Pasternak, personnage emblématique de la culture russe, était donc d'abord, pour les apparatchiks soviétiques, un « vieux juif ». La haine anti-sémite sévissait encore en Russie et finit par se déchaîner. Le 13 janvier 1953, le journal *Pravda* annonçait l'arrestation de « neuf médecins assassins ». C'était le début de « l'affaire des blouses blanches ». Ils étaient en fait en prison depuis de longs mois et, pour certains, déjà morts. On les accusait d'avoir tué ou voulu « abréger la vie de personnalités soviétiques en sabotant leur traitement médical », notamment celui du haut dirigeant du Kremlin Andreï Jdanov, mort en 1948. L'article, rédigé personnellement par Staline, condamnait aussi les failles des services secrets dans cette affaire. Le dictateur du Kremlin lança ainsi une campagne de dénonciation de médecins aux noms à consonance juive, de lettres exigeant leur mort, de caricatures et de pamphlets antisémites. Le pays allait, comme en 1937, vers une nouvelle série de grands procès, d'exécutions et de déportations. Des centaines d'autres médecins juifs furent arrêtés, et cette campagne honteuse s'élargit à la Hongrie, la Roumanie, la Pologne et la Tchécoslovaquie. Des personnalités d'origine juive furent contraintes de dénoncer les « nationalistes bourgeois » juifs et d'approuver la répression gouvernementale, dans une lettre adressée début 1953 à la *Pravda*. Le 11 février de la même année, l'URSS suspendit son bref soutien à l'État hébreu en rompant ses relations diplomatiques avec Israël.

Cette attaque délirante contre les Juifs était d'autant plus monstrueuse que, pendant la guerre, les nazis avaient massacré des centaines de milliers de Juifs soviétiques. L'opération était le prélude à une extermination massive des Juifs, à « une solution finale au problème juif à la Staline », et sans doute à une guerre mondiale. Derrière la haine à l'égard des Juifs, l'objectif était clair : il s'agissait de déclencher une nouvelle guerre en utilisant l'arme atomique « pour anéantir le mal planétaire [le capitalisme] et ses agents [les Juifs] ».

À l'automne 1952, Staline estimait avoir réglé en théorie le sort des Juifs soviétiques. Restaient les détails, qui, en raison de l'échelle de l'opération, avaient néanmoins leur importance... Le dixième anniversaire de la victoire de Stalingrad était proche. Staline allait célébrer ce triomphe en déclenchant la déportation des Juifs. Pasternak vivait de nouveau, comme en 1937, dans une ambiance d'apocalypse imminente.

Des rumeurs circulaient à propos d'un projet de déportation massive en Sibérie et dans le Grand Nord, à l'image de ce qui avait déjà été fait pour les Tchétchènes et les Tartares de Crimée, accusés de complicité avec les nazis ; Pasternak tremblait. Il s'attendait chaque jour à être arrêté. Mais la providence en décida autrement. Le poète serait sauvé par sa propre maladie, puis par celle de Staline suivie de sa mort en mars 1953.

En octobre 1952, dans ce climat délétère, Pasternak fut victime d'un infarctus. Sa femme le soigna amoureusement. « Elle m'a sauvé, je lui dois la vie », répétait-il. Sa maladie lui épargna des ennuis bien plus graves. À l'hôpital, il refusa de signer une pétition condamnant les médecins juifs accusés par Staline de préparer l'assassinat des dirigeants soviétiques... Il poursuivit sa convalescence au sanatorium de Bolchevo, au nord-est de Moscou. Début 1953, il reprit des forces, et sa plume. Il apprit alors la nouvelle de la maladie du dictateur : «Je me sens désormais heureux et libre, en bonne santé et d'humeur joyeuse, et c'est le cœur léger que je m'assois pour travailler sur *Jivago*, un livre qui, bien qu'inutile pour tout le monde, fait entièrement partie de moi.»

Le vendredi 27 février 1953, Staline assistait à une représentation au Bolchoï, seul dans sa loge. Il se sentit mal et quitta le théâtre avant la fin du spectacle. Il retourna à sa datcha. Le lendemain, il fit la grasse matinée puis reçut les dernières informations concernant la guerre de Corée et l'affaire des médecins juifs. Le soir, il dîna en compagnie de ses quatre acolytes dont Khrouchtchev. Le dimanche 1er mars, le dictateur resta enfermé dans ses appartements. Ses domestiques n'avaient plus le droit d'y pénétrer sans avoir été appelés. Vers 17 heures, quand le soir tomba, la lumière s'alluma dans le bureau. Mais Staline restait toujours enfermé. À 23 heures, plusieurs gardes du corps enfoncèrent la porte. Le maître du Kremlin gisait sur le sol, inconscient.

L'agonie se prolongea quatre jours. Nous savons aujourd'hui que les proches du tyran ne furent pas prompts à convoquer les médecins. Le matin du 5 mars, enfin, à 9 h 50, il s'éteignit. Nikita Khrouchtchev s'imposa comme son successeur par la force de l'intrigue[11].

Ce Caliban au sourire de gigolo, fils de paysan, ancien ouvrier, quasi analphabète, impitoyable «vice-roi» de Staline en Ukraine, avait appris *in vivo* les secrets et les manèges du Kremlin. Comme tous les autres membres de la direction stalinienne, il commit des crimes contre l'humanité. Cependant, trois ans plus tard, en 1956, il divulgua une partie des crimes de Staline dans son rapport au XXe Congrès. Alors que les représentants du communisme international s'apprêtaient à faire leurs valises, les délégués soviétiques furent conviés à une réunion inopinée le soir du 24 février 1956. Elle se tint à huis clos. Le successeur de Staline prononça un discours de quatre heures qui entra dans l'Histoire sous le nom de «Rapport secret du XXe Congrès». Au programme: une dénonciation du culte de la personnalité de Staline et de celle des purges de 1937-1938. Khrouchtchev s'attaquait même au mythe de Staline comme chef de guerre, lui attribuant la responsabilité des désastres militaires de 1941. Il imputa aussi aussi au dictateur et à son chef des services secrets Beria la déportation des peuples caucasiens accusés injustement de collaboration avec l'occupant nazi en 1943-1944. Il détailla dans la foulée la fabrication des faux complots de l'après-guerre, y compris le dernier, celui « des blouses blanches ».

Pasternak, à la différence de beaucoup de ses collègues écrivains, ne fut nullement dupe de cette nouvelle attitude du successeur de Staline. Khrouchtchev ne s'était pas attaqué au stalinisme, mais seulement à la politique répressive du « petit père des peuples ». En outre, Khrouchtchev vouait une haine personnelle à Pasternak qui l'avait qualifié de « crétin » et de « porc ». Selon Yakovlev, ces injures interceptées expliquent l'adversité obstinée à laquelle Pasternak fit face. L'agressivité idéologique de Nikita Khrouchtchev se doublait ainsi d'une rancune personnelle. L'affaire du *Docteur Jivago* allait enterrer cet espoir de « dégel » et de déstalinisation...

# Le retour d'Olga

En 1953, pressentant la libération d'Olga, Pasternak écrivit à sa fille: «Je désire modifier le caractère de mes rapports avec votre mère.» Il avait beaucoup aidé la famille d'Olga pendant sa déportation. Il demanda à la jeune femme de convaincre sa mère du bien-fondé de cette décision. Mais celle-ci se refusa à transmettre le message. En septembre, Olga rentra du Goulag.

En la revoyant à Moscou, à peine marquée par les années de bagne, l'écrivain ne put résister à Olga. Leur amour reprit de plus belle. Olga avait astucieusement envoyé sa fille et sa mère à la campagne pour retrouver Pasternak en tête à tête dans son appartement. La jeune femme raconterait ainsi ces retrouvailles: «Après le déchirement de la séparation, nous reçûmes ce cadeau inattendu du destin et ce fut de nouveau la magie noire des mains brûlantes surpassant tout et le triomphe de deux êtres dans la bacchanale du monde... »

Pasternak cacha quelque temps la libération d'Olga à ses amis, et surtout à sa femme. Des âmes charitables se chargèrent d'en informer son épouse : « Vous ne le savez pas ? Olga, Boris... » Celle-ci exigea alors que son mari cessât de voir sa maîtresse. De nouveau le poète promit... En ces jours magiques, Pasternak terminait le dernier chapitre de son roman. « Voici *Le Docteur Jivago* ! lança Pasternak. Souhaitons qu'il fasse le tour du monde ! »

Vivre et survivre, tel était le credo de Youri Jivago. C'était également celui du poète face à l'hostilité du monde soviétique. Un recueil de poèmes sublimes constituait le dernier chapitre du roman. Tout en l'achevant, Pasternak devait organiser la vie quotidienne.

Au cours de l'été 1954, Olga loua une petite datcha aux environs de Moscou.

« Mais je suis trop loin de toi, dit-elle amoureusement à Boris.

— Installe-toi à côté de chez moi, répliqua-t-il.

— Que dira ta femme ?

— Ce qu'elle voudra. Je crois même qu'elle comprendra. »

Olga opta pour cette organisation plus pratique, mais risquée aux yeux de l'opinion publique. Elle cherchait ainsi à officialiser leurs rapports. Dorénavant, Pasternak vivrait entre la Petite et la Grande Datcha : la première pour sa maîtresse et l'autre pour l'épouse.

Les ragots comme les multiples interventions des services secrets allaient assombrir leur vie. Selon Chalamov, qui eut aussi une histoire avec Olga, Pasternak était pour cette dernière « un placement dont elle tirait le maximum ». Les commérages battaient son plein. Cette femme, déjà considérée comme une manipulatrice intéressée, était présentée comme susceptible de toutes les trahisons, et même « de vendre son amant aux autorités soviétiques ». Face à ces terribles accusations, il faut garder la mesure et s'en tenir aux faits.

Il est incontestable que, dès 1953, Olga remplissait la fonction d'agent auprès de Pasternak. Il le savait pertinemment. Elle se rendait souvent à Moscou pour lui éviter des déplacements. Elle était ainsi en contact permanent avec les autorités soviétiques, notamment avec les agents du KGB. Elle ne fut pas la seule dans cette situation. L'époque était propice à ces étrangetés incompréhensibles aujourd'hui. La belle Elena, égérie d'un autre grand écrivain, Mikhaïl Boulgakov, était sans doute également une informatrice des services secrets soviétiques. On peut imaginer le grand Mikhaïl l'aidant à rédiger ses rapports… sur lui ! En tout cas, le pacte de Marguerite avec le diable, dans l'inoubliable roman de Boulgakov *Le Maître et Marguerite*, est à l'image de celui conclu par Elena avec les services secrets.

La célèbre mémorialiste Lydia Tchoukovskaïa fut particulièrement dure avec Olga. Elle raconta que, déçue par « la débauche [d'Olga], son irresponsabilité, son incompétence, sa paresse, et sa cupidité génératrice de mensonges », elle avait mis un terme à leur amitié. Néanmoins, après le retour d'Olga du Goulag, elle lui aurait fait à nouveau confiance en la chargeant de poster un colis de nourriture, de vêtements chauds et de livres à une amie commune toujours détenue dans les camps. Olga aurait même insisté pour soulager Lydia qui souffrait alors de problèmes cardiaques.

Pour expédier un paquet dans un camp de travail, il fallait se rendre dans une ville à la périphérie de Moscou. Hélas, l'envoi ne parvint jamais à destination. Lydia accusa Olga de vol. Elle rapporta cet épisode à la grande poétesse Akhmatova : « Je n'ai jamais entendu parler d'un acte aussi vil, même chez les gangsters. » Olga répondrait dans ses mémoires : « Je suis blessée que Lydia Tchoukovskaïa ait accordé crédit à ces diffamations. » Pour l'heure, Pasternak lui conseilla d'ignorer ces insinuations : « Laisse dire. Les gens se complaisent aux rumeurs. Ils veulent me blesser. » Il était amoureux d'Olga, le reste lui importait peu.

Personne ne fut épargné, le KGB tournait aussi autour de Zinaïda Pasternak. À l'époque, le dramaturge Youri Krotkov, proche du service de renseignement, venait souvent à la datcha des Pasternak. C'était un personnage sulfureux, bien connu des diplomates et journalistes à Moscou. Il possédait une chambre à la Maison des créateurs – sorte de pensionnat pour hommes de lettres, situé non loin de la résidence des Pasternak. Joueur de cartes chevronné, il devint un intime de Zinaïda et gagna une place à sa table. Il était également un correspondant honorable des services secrets soviétiques qui participait à leurs nombreuses opérations, notamment celle visant l'ambassadeur français Maurice Dejean. Celui-ci avait été piégé par une « belle hirondelle » et contraint de rentrer en France. « Alors Dejean, on couche maintenant ? » lui avait dit de Gaulle en le recevant à l'Élysée.

Krotkov joua un rôle important dans l'affaire du *Docteur Jivago*. Il rapportait systématiquement à l'épouse du poète les ragots qui couraient à Peredelkino : « Comment pouvez-vous tolérer une telle situation ? Vous êtes humiliée, vous qui avez tout donné pour lui.» Zinaïda répliquait en renforçant sa position d'épouse légitime. Elle était devenue «la tsarine de la Grande Datcha», où elle recevait les confrères du poète et leurs amis communs. La Petite Datcha était, quant à elle, destinée à une bohème intrépide sur laquelle régnait Olga. Un tapis rouge pelucheux, une table bleue et des sièges de jardin meublaient la pièce. Dans un coin ronflait un petit poêle faisant office de cheminée et, au-dessus de la table, se balançait une tulipe de soie orange accrochée au bout d'un cordon. Une porte donnait sur la véranda…

Pasternak écrirait en 1958 qu'Olga était la Lara de son livre, «l'incarnation de la joie de vivre et du sacrifice de soi». Dans un entretien avec un magazine anglais publié en 1959, l'écrivain assurerait: «Dans ma jeunesse, il n'y a pas eu de Lara… Mais la Lara de ma vieillesse est gravée dans mon cœur par son sang et sa prison.» Zinaïda n'est pas sans avoir également inspiré l'héroïne du roman. Pasternak emprunta des traits de la biographie de sa femme, mais aussi de ses vertus, pour créer sa Lara.

À partir de 1954, d'abord à contrecœur, l'épouse de Pasternak accepta le *statu quo*. Elle y parvint au fil de discussions, de disputes, de déclarations d'amour et de haine. Elle pressentait clairement que toute pression sur le poète pouvait non seulement faire exploser son foyer mais conduire Boris au suicide. Elle était aussi consciente de sa propre dépendance affective vis-à-vis de son mari. Malade, il restait à la Grande Datcha, et lorsque la vie reprenait le dessus, il retrouvait Olga. Si elle s'absentait, il lui téléphonait et faisait le récit de sa journée.

Pasternak donnait des subsides à chacune des deux femmes. Les honoraires de théâtre allaient plutôt à son épouse, tandis que les droits d'auteur de sa poésie étaient souvent destinés à sa maîtresse. L'argent n'avait pas grande importance pour lui, il servait à entretenir les deux foyers et à aider généreusement ses amis. « Nous sommes sur terre des invités », avait-il coutume de dire. Et d'ajouter : « L'argent n'a de valeur que dans la mesure où il assure liberté et tranquillité pour le travail qui est notre seul devoir. »

Souvent les amants sortaient le soir tombé, marchant sur la neige où glissait le faisceau lumineux de leur lampe électrique : « Écoute ! On entend la neige durcir, la forêt se figer. » L'été, en passant le long des petits jardins, ils écoutaient le concert des grenouilles. « Si j'ai connu ce qu'on appelle le vrai bonheur dans ma vie, écrirait Olga, ce fut en 1956, 1958, 1959 et même 1960. Ce fut le bonheur d'être tous les jours en contact avec l'être aimé, de le rencontrer le matin et de passer avec lui les soirées d'hiver, de lire, de recevoir ensemble les hôtes qui nous étaient chers... » Pasternak se sentait coupable de sa double vie. Il avoua qu'à plusieurs reprises, en rentrant chez lui où l'attendait son épouse, « petit chaperon rouge perdu dans la forêt », l'idée de tout arrêter le traversa. Écartelé entre les deux foyers, le poète comptait beaucoup sur sa foi en Dieu pour l'aider.

De son côté, Zinaïda essayait de vivre loin des commérages. Un pan de la vie de son mari lui échappait. Ses amis s'indignaient qu'elle n'intervienne pas plus brusquement et lui prodiguaient des conseils : « Impose tes règles, Zinaïda. Ne laisse pas cette fille ruiner le don que tu as fait de ta vie. Qui est-elle par rapport à toi ? » Mais l'amour n'est pas seulement la sensualité, il est aussi le projet, l'éthique, la vie commune. Le poète décida d'assumer jusqu'au bout ses deux amours.

# L'affaire Jivago

Pasternak avait d'abord proposé son roman à la revue *Novy Mir*, la plus prestigieuse du pays, celle où Olga travaillait autrefois. L'écrivain se vit refuser la publication pour des raisons idéologiques. La lettre collégiale du comité de lecture qui lui fut adressée, dans laquelle s'exprimait la fine fleur de l'intelligentsia communiste, pointait les manquements au dogme, les dérives réactionnaires : « Votre vision du monde est incompatible avec le réalisme socialiste ! » Pas question pour Pasternak d'abandonner. Comme il refusait tout amendement, ajout ou coupure, l'affaire était à l'arrêt. Celui qui la traitait était l'ancien tchékiste Dimitri Polikarpov qui dirigeait le département de la culture au Comité central. Trois ans s'étaient écoulés depuis la mort de Staline, et Polikarpov imprimait sa toute-puissance sur les métiers de plume, menaçant ainsi la rédaction de la *Literaturnaïa Gazeta* : « Votre journal, je le lis un crayon à la main... »

Au printemps 1956, Sergio D'Angelo obtint un rendez-vous avec Boris Pasternak dans sa datcha de Peredelkino. Pasternak était alors âgé de 65 ans et jouissait d'une grande notoriété. D'Angelo avait lu un bref communiqué mensonger révélant la publication imminente du premier roman de l'écrivain russe, intitulé *Le Docteur Jivago*. En plus d'être reporter, D'Angelo dénichait de nouveaux auteurs soviétiques pour une jeune maison d'édition située à Milan et dirigée par l'excentrique Giangiacomo Feltrinelli dans lequel Pasternak pouvait avoir toute confiance. Feltrinelli était en effet communiste. Obtenir les droits du premier roman du plus célèbre poète russe était un coup magistral pour D'Angelo et Feltrinelli. La rencontre se passa très bien. Pasternak confia son manuscrit à D'Angelo sans l'accord de l'Union des écrivains. Il n'en possédait qu'une copie ; il n'allait jamais la revoir. Quand le messager de Feltrinelli et l'écrivain se saluèrent devant le portail de sa datcha, Pasternak eut une étrange impression prémonitoire. Il dit à l'Italien qui tenait le livre sous son bras : « Je vous invite par la présente à mon exécution. »

En projetant la publication de son texte en Europe de l'Ouest au mépris du monopole de l'État soviétique sur l'édition, Pasternak prenait un risque immense. Quand il apprit à sa maîtresse, Olga, qu'il avait remis son manuscrit à un éditeur italien, celle-ci explosa : « Tu me mets en danger, tu ne penses qu'à toi ! J'ai déjà purgé cinq années de Goulag, je t'assure que cela me suffit. » Le soir, la même scène se produisit mais cette fois-ci avec Zinaïda, qui ne craignait pas pour elle... mais pour lui : « À quoi penses-tu ? Es-tu devenu inconscient ? Tu finiras en Sibérie, je n'aurai plus que mes yeux pour pleurer. Tout ça pour quelques phrases dactylographiées ! » Pasternak se montra à nouveau déterminé. Il était prêt à affronter tous les problèmes pourvu que son roman trouve un éditeur et soit lu.

Dans le même temps, D'Angelo arrivait à l'aéroport de Moscou. Il réussit à dissimuler le manuscrit de *Jivago* dans le double fond de sa valise. Il passa la douane russe sans encombre malgré les nombreuses fouilles. D'Angelo retrouva à Berlin l'éditeur Feltrinelli, dans un petit hôtel de la Joachimsthaler Strasse.

Feltrinelli, tout juste 30 ans, était un personnage haut en couleur. Il portait moustache et lunettes, il était extravagant, héritier d'une fortune colossale qu'il avait mise à la disposition de ses idéaux, la lutte pour le communisme et l'anticonformisme. Ses amis le surnommaient « le Jaguar ».

D'Angelo eut le temps de parcourir le manuscrit. Il en fit un bref résumé puis ajouta : « Ne pas publier un tel livre constituerait un crime contre la culture. » Que dit *Jivago*, sinon que chaque personne a droit à sa vie privée et mérite d'être respectée en tant qu'être humain, quelle que soit sa loyauté politique ou sa contribution à l'État ? En plus d'être une œuvre littéraire puissante, le roman de Pasternak n'était pas une simple critique de l'Union soviétique ni un plaidoyer pour un autre système politique, sa force résidait dans sa liberté d'esprit et un véritable dédain pour l'idéologie « étouffante et impitoyable » qui régnait en Russie. À la mi-juin, Pasternak reçut un contrat dans lequel Feltrinelli s'engageait à faire traduire et publier *Le Docteur Jivago* en langue italienne dans un délai de deux ans.

En transmettant son manuscrit à un éditeur étranger, Pasternak savait pertinemment ce qu'il faisait. En décembre 1948 il avait écrit dans une lettre : « Une parution en Europe provoquerait une catastrophe et me précipiterait dans les plus grandes difficultés. » À Moscou, le KGB était déjà au courant des tractations engagées entre Pasternak et l'éditeur italien. Un agent remit une note qui arriva sur le bureau d'Alexeï

Sourkov, un des dirigeants de l'Union des écrivains et ennemi notoire de Pasternak, sur celui de Dimitri Polikarpov, directeur du département du Comité central chargé de sécurité et de culture, et sur celui du chef du Kremlin, Nikita Khrouchtchev. Ce rapport disait qu'il était impossible qu'un tel livre sorte en Russie et qu'il fallait empêcher à tout prix sa publication en Europe ou ailleurs.

Si Zinaïda était réticente à la proposition de l'éditeur italien, Olga était plus ambiguë. Elle pesait les avantages qu'ils pourraient tirer de la publication du roman à l'Ouest. Elle continuait par ailleurs de voir les officiels soviétiques en essayant de trouver un compromis avec le régime. Elle tentait de jouer sur les deux tableaux. À Milan, Feltrinelli était rouge de colère. Ses locaux venaient d'être cambriolés. Tout était sens dessus dessous, dévasté. Heureusement le manuscrit de *Jivago* était en lieu sûr. Cependant, il hésita à son tour, il se savait surveillé. Ce roman méritait-il tant d'épreuves ? L'un de ses employés fit irruption dans son bureau et brancha la radio. Bruit de chars, explosions, coups saccadés d'armes à feu... L'armée russe venait d'entrer dans Budapest. La fin de la révolution hongroise sonnait. Sur les ondes, on évoquait déjà plusieurs milliers de morts.

Feltrinelli était troublé, écœuré par cette sanglante répression, mais son désir de publier *Jivago* s'en trouva renforcé. Un jour, Sourkov en personne débarqua dans le bureau de Feltrinelli, à Milan. Accroché au mur, un portrait de Pasternak. Le dirigeant de l'Union des écrivains agita sous le nez de l'Italien un prétendu télégramme envoyé par Pasternak réclamant le retour de son manuscrit : « Il renonce ! »

« Je sais comment on fabrique ce genre de lettre », répliqua l'éditeur sûr de lui. Sourkov, hargneux, tenta de le dissuader de faire paraître l'ouvrage, mais Feltrinelli tint bon : « Je suis un éditeur libre, dans un pays libre, ce livre est un grand hommage aux romans russes. »

Sourkov abattit alors sa dernière carte. Il évoqua Boris Pilniak, un auteur russe qui avait eu le culot de publier à la fin des années 1930 son roman *L'Acajou* à l'étranger, bafouant ainsi le monopole de l'État soviétique sur l'édition. « Le pauvre est mort d'une balle dans la nuque. » La menace ne pouvait pas être plus explicite. Feltrinelli eut un rire sardonique. Le soir même, une nouvelle note arrivait sur le bureau de Nikita Khrouchtchev. Elle indiquait de façon laconique qu'il était désormais impossible de stopper la publication de *Jivago* à l'étranger. Khrouchtchev entra dans une colère noire.

Le 22 novembre 1957, les librairies milanaises plaçaient *Le Docteur Jivago* en devanture. La presse italienne s'emballa et lui fit un triomphe. Ce fut un succès immédiat et colossal. Le livre parut en France, en Angleterre, en Allemagne, en Chine. Les files d'attente devant les librairies étaient interminables. La presse internationale s'interrogea : pourquoi *Jivago* ne paraissait-il pas en URSS ? *Le Monde* parla d'une « censure imbécile », *The Observer* titra : « Mais de quoi ont-ils peur ? » À Peredelkino, malheureusement, la tension était palpable entre Pasternak et Zinaïda, tout comme avec Olga.

Les deux femmes, pour des raisons diverses, reprochaient à l'écrivain son cynisme et son manque de réalisme. Maintenant que le livre existait, leur vie ne tenait plus qu'à un fil. Le conflit autour du livre était attisé par l'intervention directe des services secrets. Le KGB commença une campagne de dénigrement contre Pasternak et sa maîtresse. Au bureau de l'Union des écrivains, Sourkov accusa publiquement Pasternak d'être un traître, uniquement intéressé par la gloire et l'argent de l'Ouest. La tension monta d'un cran. Dans les rapports des services soviétiques, Olga était présentée comme une aventurière débauchée qui poussait Pasternak à émigrer.

Quand, au grand dam des autorités, l'écrivain se vit octroyer le prix Nobel de littérature le 23 octobre 1958, c'en fut trop pour le Kremlin. Le président du KGB réclama l'expulsion de l'écrivain de son pays natal. Les proches de Pasternak furent terrorisés et tentèrent une nouvelle fois de le convaincre d'arrêter cette folie. Mais l'écrivain les écouta à peine, il semblait même rajeuni.

Une fois encore, Olga et Zinaïda adoptèrent des attitudes différentes. La femme de Pasternak pensait qu'il ne devait pas quitter le pays. Il était aimé en Russie et souhaitait y finir sa vie car ses lecteurs s'y trouvaient. En outre, Zinaïda ne voulait pas abandonner son fils. Elle avait déjà perdu un enfant. Si elle quittait le pays, la carrière du second, devenu éminent pianiste, serait brisée. Pasternak déclara à sa femme qu'il ne partirait jamais sans elle. De son côté, sous la pression du KGB, Olga dut accepter de rencontrer régulièrement ses agents. Selon Evguéni, le fils du poète, qui n'avait aucune sympathie pour Olga, Pasternak était parfaitement au courant de ces rendez-vous. Il était persuadé qu'Olga défendait ses intérêts. Par-dessus tout, la pauvre femme craignait d'être de nouveau emprisonnée.

Le sommet de cette campagne fut le discours de Vladimir Semitchastny, premier secrétaire du Komsomol (les Jeunesses communistes), le 29 octobre 1958, à l'occasion du quarantième anniversaire de l'institution. La veille, Semitchastny avait été convié par Nikita Khrouchtchev au Kremlin. Celui-ci l'attendait dans son bureau en compagnie de Mikhaïl Souslov, l'idéologue en chef du Parti. Ils lui donnèrent l'ordre d'ajouter un passage sur *Le Docteur Jivago* dans son discours. Le chef du Kremlin dicta lui-même plusieurs pages de notes incohérentes et injurieuses sur Pasternak. Ses assistants durent en faire un propos présentable que le chef du Komsomol lut le lendemain. Devant douze mille jeunes militants au Palais des sports de Moscou, il déclara :

« Comme le dit le proverbe russe, chaque troupeau a sa brebis galeuse. Nous avons nous aussi une brebis galeuse dans notre société socialiste en la personne de Pasternak et de son roman diffamatoire... Il a mangé le pain et le sel du peuple pendant que ce peuple souffrait de la faim et du froid ; il a été mieux pourvu que la moyenne. Et voilà qu'il nous a craché au visage. Comment peut-on appeler un tel être ? Parfois, incidemment, nous attribuons au porc des défauts immérités. Nous le calomnions. Ceux qui ont affaire aux animaux savent que même les cochons ne souillent jamais la place où ils dorment et où ils mangent. Un porc n'aurait pas fait ce qu'a fait Pasternak. Celui-ci, qui prétend pourtant faire partie de l'élite, a sali l'endroit où il vit et tous ceux qui lui permettent de vivre et de respirer. »

Le discours du chef du Komsomol fut accueilli par un tonnerre d'applaudissements. Ce que Pasternak craignait le plus se produisit, Semitchastny formula ensuite un ultimatum : « Pourquoi cet émigré de l'intérieur n'irait-il pas respirer cet air capitaliste dont il rêve tant dans son livre ? Je suis sûr que notre société en serait heureuse. Il n'a qu'à devenir un véritable émigré et partir dans son paradis capitaliste. Je suis sûr que ni l'opinion ni notre gouvernement n'y feraient obstacle – au contraire, son départ de notre milieu purifierait l'air. »

Pasternak évoqua de nouveau l'idée de quitter le pays ; Zinaïda pensait cette fois-ci qu'il devait partir afin de vivre en paix.

« Avec toi et notre fils ? demanda Pasternak.

– Certainement pas, lui répondit-elle. Mais je souhaite que tu passes tes dernières années dans le calme et la considération. Nous devrons, ton fils et moi, te désavouer, mais tu comprends, bien sûr, que ce ne sera qu'officiellement... »

Pasternak trancha : « Si vous refusez de vous installer avec moi à l'étranger, il n'en est pas question. »

Il demanda également son avis à Olga. Elle craignait qu'il fût contraint de partir sans elle.

Elle avait plusieurs fois été aidée par Grigori Khesin, le directeur des droits d'auteur à l'Union des écrivains. Grigori avait toujours semblé bienveillant envers Pasternak et à l'écoute d'Olga. Il était aussi étroitement lié au KGB. Mais lorsqu'il reçut Olga, cette fois-ci, le ton fut très différent. Il expliqua sèchement à Olga que Pasternak était allé trop loin et que la situation était irréversible. Alors un autre homme offrit son soutien à Olga. Il prétendait aimer la littérature et venir au secours d'un génie. Olga ne réfléchit pas, elle accepta un rendez-vous au cours duquel l'homme les engagea à écrire une lettre de repentance à Khrouchtchev au nom de Pasternak. La tension montait. Pasternak était menacé de toutes parts. Il recevait des courriers comminatoires, on manifestait violemment devant sa maison. Olga céda. Sa fille rédigea un brouillon que Pasternak approuva, avec cette seule réserve : il voulait préciser qu'il était lié par la naissance à la Russie, et non à l'URSS. Il était épuisé par cette campagne diffamatoire et souhaitait en finir.

Les démons de la jalousie littéraire ne furent pas étrangers à l'affaire. Ses collègues écrivains soviétiques mais aussi étrangers n'hésitèrent pas à vilipender les qualités littéraires du roman de Pasternak. Vladimir Nabokov, contemporain de Pasternak, critiqua vivement *Le Docteur Jivago* qui détrôna sa *Lolita* dans les classements des best-sellers américains de 1958. Nabokov qualifia le roman de « maladif, nul, faux » et le jugea « terriblement mal écrit ». « Pour moi, c'est un livre maladroit et stupide », écrivit-il dans une lettre adressée à son ami et éditeur Grinberg.

Le 29 octobre, Pasternak décida d'envoyer un télégramme au comité Nobel renonçant au prix qui lui avait été attribué. Ce geste n'apaisa en rien la situation. Le 31 octobre, il fut banni de l'Union des écrivains. Ceux-ci adressèrent au gouvernement une lettre requérant qu'il fût déchu de sa citoyenneté. Le soir même, en pleine détresse, Pasternak accepta d'envoyer une lettre de repentir au chef du Kremlin, dans laquelle il le priait de ne pas le priver de sa nationalité soviétique. Dans la nuit, la lettre fut déposée au Comité central par la fille d'Olga :

> *Estimé Nikita Sergueïevitch,*
>
> *Je m'adresse à vous personnellement, ainsi qu'au Comité central du PC de l'URSS et au gouvernement soviétique.*
>
> *J'ai appris par le rapport du camarade Semitchastny que le gouvernement ne s'opposerait pas à mon départ de l'URSS. Pour moi c'est impossible !*
>
> *Je suis lié à la Russie par la naissance, par la vie et par mon travail. Je n'envisage pas mon sort séparé d'elle et au-dehors.*

*Quels que puissent avoir été mes fautes
et mes égarements, je ne pouvais imaginer
que j'allais me trouver au centre d'une telle
campagne politique gonflée, en Occident,
autour de mon nom.*

*Lorsque j'en ai pris conscience, j'ai informé
l'Académie de Suède de mon renoncement
volontaire au prix Nobel.*

*Quitter ma patrie équivaudrait pour moi
à la mort, et c'est pourquoi je vous demande
de ne pas prendre à mon égard cette mesure
extrême.*

*La main sur le cœur, je puis dire que j'ai
quand même fait quelque chose pour la littérature soviétique et que je puis encore lui
être utile* [12].

*Boris Pasternak*

Le *mea culpa* ne suffisait pas aux bonzes du
Kremlin. Par l'intermédiaire de Polikarpov, ils
exigèrent une nouvelle lettre de repentir, cette
fois-ci adressée au peuple soviétique, en échange
de travaux réguliers de traduction rémunérés par
les éditions de l'État. Pasternak accepta cette
proposition. Il était exténué.

La CIA joua un rôle essentiel dans cette
affaire. Frank Wisner, patron de l'OSP (Office
of Special Projects), évoqua l'idée d'utiliser *Le
Docteur Jivago* comme arme de propagande.

Autour d'une table qui réunissait six hommes, il exposa son plan : « Il faut que ce best-seller soit publié en russe. Il doit passer les frontières et arriver en Russie.

— Et comment protège-t-on Pasternak ? Vous savez qu'il est menacé…

— Il a pris ses risques. »

Sur la table, deux microfilms du roman.

Pour Wisner et sa bande, *Jivago* était fondamental en tant que propagande, non seulement pour son message et son caractère instructif, mais aussi et surtout afin de pousser les Soviétiques à s'interroger sur ce qui ne tournait pas rond avec leur gouvernement pour qu'une œuvre littéraire magistrale, signée d'un homme reconnu comme le meilleur auteur russe vivant, ne soit pas disponible dans leur propre pays et dans leur propre langue.

La décision d'imprimer clandestinement *Le Docteur Jivago* en russe fut prise, quelles qu'en soient les conséquences sur la vie de Pasternak. On profiterait de la Foire internationale de Bruxelles pour distribuer discrètement le livre aux visiteurs soviétiques.

La séance fut levée, la salle se vida. Le cynisme de ces hommes se révélait stupéfiant.

Les archives récemment déclassifiées révèlent que la CIA a instrumentalisé des écrivains pour influer sur le cours des événements politiques, notamment par le biais de l'attribution du prix Nobel de littérature. Il fut un temps question de faire couronner un dénommé Gudzenko, ancien chiffreur de l'ambassade d'URSS à Ottawa passé à l'Ouest, détenteur de nombreux secrets, dont l'incertain titre de gloire était d'avoir signé un ouvrage sur Gorki. L'entreprise fit long feu. Kennan, diplomate américain et figure incontournable de la guerre froide, corrigea le tir en exigeant que soient à l'avenir ciblés des créateurs d'envergure[13]. Ce serait le cas de Boris Pasternak.

Ces faits ont été confirmés depuis, après consultation d'un certain nombre de documents des services de renseignement américains et britanniques. La publication de ces documents suscite toutefois de nombreuses questions. Ils n'expliquent pas l'implication directe des services secrets américains dans l'attribution du prix Nobel à Pasternak. Ils ne précisent pas non plus comment le manuscrit de Pasternak est tombé entre les mains des agences de renseignement occidentales. On raconta que, après avoir forcé l'avion transportant le représentant de Feltrinelli de retour de Moscou à atterrir à Malte, les services secrets britanniques mandatés par la CIA avaient fouillé la soute et sorti le roman de sa valise pour le photographier. La

CIA souhaitait faire entrer clandestinement des copies en Union soviétique. Cette version est évidemment romancée.

Michel Aucouturier, grand slaviste français, analyse cette polémique avec pertinence en relevant qu'au moment de la publication du texte russe en octobre 1958, plusieurs exemplaires du manuscrit circulaient déjà en Occident. Selon lui, il était donc relativement facile aux services de renseignement américains ou anglais de s'en procurer une copie. Les archives sont formelles : la CIA a joué un rôle crucial dans l'impression et la distribution du *Docteur Jivago*. Cette opération clandestine fut menée par la division Russie-Union soviétique de la CIA, sous le contrôle personnel de son directeur Allen Dulles, avec l'accord de l'Operations Coordinating Board (OCB) du président Eisenhower. L'OCB en rendait compte au Conseil national de sécurité et à la Maison Blanche. L'Agence (la CIA) fut chargée en 1958 d'imprimer aux Pays-Bas une édition reliée, puis en 1959 une autre au format poche à son quartier général situé à Washington. Cette information était connue du Kremlin grâce à une taupe infiltrée à Washington.

## «J'ai aimé la vie, et toi»

Les dernières années de la vie de Pasternak allaient être cauchemardesques. Plusieurs fois il pensa mettre fin à ses jours. Entre 1957 et 1960, tous ses faits et gestes étaient épiés par le KGB. Les hommes en manteau de cuir, roulant en voiture noire, faisaient désormais partie de la vie quotidienne du poète. Des micros furent évidemment installés dans les deux datchas. Des rapports ultra-secrets furent régulièrement envoyés au Kremlin.

Il arrivait aux fonctionnaires du KGB de transformer les ragots du milieu littéraire en véritable roman-feuilleton. Ils étaient friands des développements psychologiques qui différenciaient leurs rapports d'un banal compte rendu de police. Toutes les déclarations importantes du poète étaient recensées et ses fréquentations passées au crible.

Pour Zinaïda, ce fut également un calvaire. Des rumeurs couraient, selon lesquelles Pasternak avait des enfants d'Olga. Elle menaça de quitter définitivement le foyer conjugal avec son fils. Plus tard elle témoignerait : « Si j'en avais eu la force, je l'aurais fait. Mais j'en étais incapable. J'étais liée à lui par toutes les fibres de mon être. » Chaque fois d'ailleurs qu'elle envisageait cette perspective, Pasternak faisait du chantage au suicide. Exclu de l'Union des écrivains, privé de tout subside officiel, il continuait toutefois d'écrire ce qui serait sa dernière œuvre, *La Belle Aveugle*, une fresque historique sur la Russie depuis les grands tsars, restée inachevée. Face aux tentatives de Zinaïda pour trouver un terrain d'entente avec les autorités soviétiques, Pasternak avait tranché et déclaré haut et fort : « Je suis adulte, je comprends que je ne peux rien exiger, que je n'ai aucun droit. Que devant un froncement de sourcils du pouvoir suprême, je ne suis qu'un moucheron que l'on peut écraser, et personne ne pipera mot. Mais cela ne sera pas aussi facile. Avant d'en arriver là, quelqu'un, quelque part, finira par avoir pitié de moi... » Dans un poème poignant, « Le prix Nobel », il évoque sa situation :

*Ils m'ont traqué et pris au piège,*
*Chez moi, ils m'ont fait prisonnier.*

*La meute hargneuse m'assiège.*
*Pourtant, je sais la liberté.*

Le 3 janvier 1959, à bout de nerfs, il écrivait à McGregor, l'un de ses amis : « J'ai eu tort d'attendre des manifestations de clémence suite aux lettres que j'ai publiées dans la presse soviétique. La clémence et la tolérance ne sont pas dans la nature de mes interlocuteurs, les insultes et les humiliations vont me poursuivre. Le nœud coulant qui se resserre de plus en plus autour de ma gorge a pour but de me forcer à me mettre à genoux, du point de vue matériel, mais cela n'arrivera jamais. J'ai franchi le seuil de la nouvelle année avec des idées de suicide et dans la colère. »

Pasternak tomba malade. On détecta d'abord des problèmes de prostate. Sa santé se dégradait et préoccupait ses proches. Zinaïda écrirait dans ses mémoires : « À ce qu'on disait, cette dame [Olga] lui faisait des crises de nerfs, exigeait une rupture avec moi, et moi, je ne savais pas toujours comment expliquer les variations de son état général. » Mais au printemps 1960, Pasternak continuait de se rendre chaque jour chez Olga. La petite cour de la maison, avec ses pins, ses bouleaux et ses buissons qui commençaient à fleurir, était couverte d'ombre et de soleil. Le poète semblait de nouveau en bonne santé, il était gai, et son amante arrivait à se convaincre que ses inquiétudes étaient sans fondement.

Pour les fêtes de Pâques, une jeune Allemande avec qui il correspondait depuis plus de deux ans vint voir l'écrivain. L'attitude des étrangers se distinguait de celle des Russes, partagés en deux clans. Les uns, comme la majorité des écrivains de la vieille génération, fréquentaient plutôt la Grande Datcha, tandis que les jeunes poètes se rendaient le plus souvent à la Petite. Les étrangers, eux, fréquentaient les deux. Après sa visite à la Grande Datcha, la jeune Allemande accompagna donc le poète chez Olga... Comme toujours au moment de Pâques, il y avait sur la table des œufs peints, un bouquet de fleurs embaumait. Pasternak s'amusait des effusions de son interlocutrice bavaroise qui faisait la coquette et se précipitait vers lui à tout instant. Redoutant la jalousie de sa maîtresse, il répétait: «Quelle effrontée!»

Ce jour-là, il se sentit très mal. Depuis un moment, son visage avait pris une teinte jaunâtre.

«C'est dommage, dit-il en quittant Olga, je vais sans doute être obligé de garder le lit quelque temps... Chaque fois que je le pourrai, je te donnerai de mes nouvelles... Peut-être l'occasion se présentera de te faire venir à la datcha. Mais tant que je ne t'aurai pas fait signe, au nom du Ciel, n'entreprends aucune démarche pour me voir. Je dois me rétablir et venir chez toi en bonne santé pour être digne de toi. Il est bien possible en effet que ce soit une punition de Dieu...

– Boris, je suis inquiète. Promets-moi de prendre soin de toi. Je demanderai de tes nouvelles. Reviens vite. »

Quand il rentra à la Grande Datcha, une amie qui vivait chez les Pasternak l'aida à se rendre dans son bureau. « N'effrayez pas ma femme, lui dit-il. L'art a toujours deux sujets : il médite sans cesse sur la mort et sans cesse il crée la vie. La vie est comme une grande assemblée. Chacun peut y dire son mot. Mais on ne peut pas parler éternellement ; il faut bien céder sa place à un autre... Il me reste encore à me livrer aux mains de la mort... »

Quelques jours après ce malaise, Pasternak se rendit à la Petite Datcha. Il marchait sur le sentier, une serviette à la main, quand Olga l'aperçut. « Mon amour ! » Elle se précipita vers lui. Il l'embrassa, comme si ce baiser pouvait lui donner un regain de force. Dans le jardin, il faisait presque sombre, la lumière du soleil et les nuages s'affrontaient dans le ciel. Il s'arrêta un moment et se retourna vers la Petite Datcha, regarda ses fenêtres et la façon particulière dont elles brillaient : « Tant que je vivrai, je me souviendrai de cette journée... »

Olga ne savait pas qu'en ce samedi 23 avril 1960, ils échangeaient les derniers mots de leur vie. Après avoir diagnostiqué un infarctus, les médecins décelèrent des métastases aux poumons. Pressentant son décès prochain, Zinaïda, toujours magnanime, proposa de faire venir Olga. « Jamais », rétorqua-t-il.

Le 30 mai 1960, à 23 h 30, l'auteur du *Docteur Jivago* s'éteignait.

Sur son lit de mort, il avait dit à sa femme : « La vie a été belle, très belle, mais il faut aussi mourir un jour. J'ai aimé la vie, et toi. » N'avait-il pas écrit aussi à Olga : « Ma vie, mon ange et mon amour éternel » ?

Un seul journal littéraire russe publia l'information, sans mentionner le lieu et l'horaire des obsèques. Le KGB fit tout pour empêcher que les funérailles deviennent nationales. Pourtant, dans les trains de banlieue et partout dans les gares, des inscriptions manuscrites sur des pages de cahier ou des feuilles étaient placardées : « Le plus grand poète de notre époque, Boris Pasternak, est mort. Les obsèques civiles auront lieu aujourd'hui à trois heures de l'après-midi, à Peredelkino. »

Le cercueil dissimulé sous une montagne de fleurs était exposé dans la Grande Datcha. Au piano les grands virtuoses se relayèrent, notamment Sviatoslav Richter. Le jour de l'enterrement, une foule recueillie et respectueuse défila devant la maison.

Olga, assise sur un banc devant la porte qui lui était interdite, pensait à son bien-aimé, indifférente à tout. Des voisins étaient simplement venus lui dire : « Il est mort. » Son arrivée à la Grande Datcha fut accompagnée de murmures et de regards curieux. Proscrite par la famille, elle dut comme tout le monde faire ses adieux au défunt sans s'attarder devant sa dépouille. Il était revêtu du costume gris foncé de son père. Son visage était beau et paraissait jeune.

Au moment où la foule s'exclamait « Gloire à Pasternak ! Hosanna ! », les cloches de l'église de la Transfiguration se mirent à sonner les vêpres. Tous les participants aux obsèques furent bien évidemment photographiés par des agents du KGB en civil. Longtemps, les jeunes gens restèrent avant de se disperser. Près de la tombe, ils récitaient sa poésie.

Sa veuve Zinaïda consacrerait toute sa vie à la mémoire de son époux, à la mise en ordre de ses manuscrits, et participerait activement à la commission créée à son initiative afin d'assurer son héritage littéraire. Restée sans retraite, elle disparut à son tour six ans plus tard, dans la gêne.

Dans l'intervalle, le KGB fit tout pour attiser l'animosité envers Olga, qui fut présentée comme une femme vénale. Vol, spéculation, vices sexuels lui furent attribués. Deux mois après la mort de Pasternak, elle fut arrêtée pour la seconde fois et envoyée au Goulag pour huit ans de travaux forcés. Sa fille partagea son sort. On accusait Olga de contrebande.

En effet, Feltrinelli avait acheté des roubles au rabais à la Bourse de Francfort pour rémunérer Pasternak. Les sacs d'argent avaient été clandestinement apportés en Russie par des journalistes et des diplomates occidentaux puis remis à Olga en guise de droits d'auteur pour son amant. Ces faits furent minutieusement répertoriés par le KGB. Il est très difficile d'expliquer pourquoi Pasternak et Olga avaient accepté ce trafic. Ils se savaient surveillés en permanence. La vie quotidienne si âpre leur avait-elle enlevé toute prudence ? Pensaient-ils que le prix Nobel les protégeait de tout ? Ou que le KGB se laisserait berner ? Olga ne prit pas cette décision seule. Elle avait beaucoup souffert du Goulag et le contrat avec les Italiens l'avait ravie ; elle avait demandé des cadeaux à Feltrinelli. Elle rapporta au poète Voznessenski une scène significative : elle et Boris allongés sur le tapis de la Petite Datcha, partageant les sommes importantes provenant de Feltrinelli. Après des années de privations et de brimades, on peut comprendre que cet argent était providentiel.

Il y eut deux arrivages de sacs : un avant la mort de Pasternak, l'autre après. L'opérette flirtant souvent avec la tragédie, le KGB avait été particulièrement ulcéré par les souliers de daim beige et les crèmes de beauté qu'Olga avait commandés en sus à l'éditeur italien... L'État soviétique spolia donc Pasternak en récupérant les droits de ses publications à l'étranger.

Envoyée de nouveau au Goulag, Olga fut libérée après quatre ans. Mais elle ne fut réhabilitée qu'en 1988, pendant la perestroïka de Gorbatchev. Les lettres et les manuscrits de Pasternak, confisqués chez Olga lors de sa deuxième arrestation, ne lui furent jamais rendus. Ils restèrent dans les archives littéraires de l'État. En avril 1994, elle écrivit au président russe Eltsine : « J'ai 82 ans, et je ne veux pas quitter cette vie calomniée et humiliée. Tout ce qui se passe ne me blesse pas moins que les balivernes et les flots de calomnie spécialement dirigés contre moi. Je ne peux pas accepter le triomphe de l'arbitraire et c'est pour cela que je considère ma réhabilitation et ma citoyenneté russe comme une fiction inutile. »

Elle mourut en 1995 en femme blessée. La calomnie la poursuivit encore après sa mort.

Une lettre, datée du 10 mars 1961, fut trouvée dans les archives secrètes du Comité central du PCUS en 1991. Dans cette missive, Olga, à l'époque incarcérée, demandait au Kremlin de prendre envers elle des mesures de clémence : « J'ai fait tout ce qui était en mon pouvoir pour éviter la publication du *Docteur Jivago* à l'étranger. Je voudrais souligner que Pasternak a lui-même écrit ce roman et lui-même choisi la manière par laquelle il souhaitait être rétribué. On ne peut pas le décrire comme une victime innocente. »

Prenant appui sur cette phrase, certains journalistes russes présentèrent Olga comme un vulgaire agent du KGB qui informait les services secrets des activités de Pasternak. Ces conclusions furent lourdes de conséquences. De nouveau la bonne société moscovite médit, alors que cette « révélation » n'apportait rien de neuf. La famille du poète savait pertinemment qu'entre 1953 et 1960 Olga rencontrait les agents du KGB. Ce document, en revanche, était révélateur de l'ambiance ambiguë qui régnait dans la société totalitaire. Des millions de gens faisaient des compromis impossibles pour sauver leurs proches ou eux-mêmes. Les observateurs pertinents, comme le fils de Pasternak, Evguéni, se sont dits choqués par le caractère « insultant et dégoûtant » de ces articles. « Dans la course aux sensations, ils ont sali la mémoire de cette femme désespérée dans les geôles du Goulag », écrivit Evguéni. Rappelons-le, il n'éprouvait pourtant pas de sympathie particulière pour la maîtresse de son père. La fille d'Olga, Irina, qui avait été arrêtée avec sa mère en 1960, souligne à ce propos : «Ma mère a passé huit ans au Goulag et supposer qu'elle était agent du KGB est une humiliation suprême. » Olga fut avant tout une femme qui a beaucoup souffert.

Dans les mémoires de Khrouchtchev, on trouve un passage sur *Le Docteur Jivago* : «Je regrette que cette œuvre n'ait pas été publiée, parce qu'une œuvre intellectuelle ne doit pas être jugée par des méthodes... pour ainsi dire policières. » Du temps où il dirigeait le Kremlin, l'attitude de Khrouchtchev était bien différente. Après la mort de Staline, la liberté des artistes était encore une illusion. Khrouchtchev, inculte, n'était pas, à la différence de son prédécesseur, intrigué par le génie littéraire. Pasternak le constata : «Même le terrible et cruel Staline ne jugeait pas déchoir en accédant à mes demandes concernant les personnes arrêtées, en m'appelant lui-même au téléphone pour en parler... »

Le nouveau chef du Kremlin n'avait rien à dire au poète. L'affaire Pasternak refléta le durcissement du régime. Après avoir écrasé la révolte de Budapest en 1956, Khrouchtchev mena une impitoyable campagne antireligieuse dans les années 1960, parfois pire que sous le règne de Staline, avant de donner l'ordre de tirer sur des ouvriers à Novotcherkassk en 1962. L'espoir d'une véritable déstalinisation s'était définitivement évaporé.

La vie changea avec l'arrivée de Mikhaïl Gorbatchev au pouvoir. Une période de réformes connue sous le nom de perestroïka commença. Ce fut une véritable ouverture vers la liberté déjà pressentie par Pasternak : « Les époques passeront, nombre de grandes époques. À ce moment-là, je ne serai plus de ce monde. On ne retournera pas au temps de nos pères et de nos grands-pères, ce qui d'ailleurs n'est ni indispensable ni souhaitable. Mais enfin l'esprit noble, créateur et grand, demeuré si longtemps caché, réapparaîtra. [...] Votre vie sera riche et féconde comme jamais. Souvenez-vous de moi... »

Pasternak fut réhabilité avec éclat sous Gorbatchev. En 1991, le système soviétique s'effondra. Je participais alors à la résistance au putsch contre Gorbatchev, comme porte-parole du mouvement des réformes démocratiques. Je me souviens très bien de cette journée qui vit mourir le communisme en Russie.

La foule, joyeuse et stupéfaite de ce qui se jouait en cette soirée du 21 août 1991, regardait s'effondrer place Loubianka l'immense statue de Dzerjinski, sinistre fondateur de la police politique bolchevique. Le peuple de Moscou voulait un symbole de sa délivrance. Spontanément, des dizaines de milliers de personnes avaient marché vers cette place et des jeunes avaient escaladé la tête du tyran. D'autres avaient gribouillé des graffitis sur les murs gris du bâtiment du KGB, où tant d'innocents avaient péri. Finalement, les autorités russes furent obligées de dépêcher des grues pour desceller le monument. Face aux caméras du monde entier, la statue tomba et fut traînée jusqu'à un terrain transformé en cimetière des effigies déboulonnées du régime soviétique.

Le lendemain je rentrais de Moscou en compagnie d'Alexandre Yakovlev, l'un des leaders de la résistance au putsch. Le hasard voulut que notre voiture passât près de Peredelkino, où Pasternak est enterré. Des années plus tard, j'ai l'impression que ce fut un signe de la providence. Malgré la fatigue de cette soirée exténuante, Yakovlev me proposa de faire une halte imprévue sur la tombe de Boris Pasternak. Depuis les années 1970, c'était le lieu privilégié des rencontres entre les dissidents politiques qui pensaient, à tort, les rendre ainsi plus discrètes.

Après l'effondrement de l'URSS, en y faisant des travaux, on trouva des micros encastrés dans un banc.

Quand nous entrâmes dans le petit cimetière envahi par les herbes folles et les fleurs sauvages, Yakovlev murmura : « Pasternak restera pour toujours une des figures historiques qui firent s'écrouler ce régime. » Yakovlev avait connu la même évolution que Pasternak, passant de l'enthousiasme révolutionnaire à la dénonciation du régime totalitaire. L'affaire Jivago avait été pour lui un révélateur. En me recueillant auprès de la tombe de Pasternak en ce jour historique, j'eus le sentiment que le poète prenait une revanche posthume. La Russie avait suivi ses pas : en 1917, elle acceptait Lénine ; en août 1991, elle lui tournait le dos sans effusion de sang.

Aujourd'hui encore des centaines d'hommes et de femmes se retrouvent sur la tombe de Pasternak à l'anniversaire de sa mort, récitent des vers et brûlent des cierges. L'opinion publique est pourtant volatile en Russie. Gorbatchev, qui réhabilita Pasternak, est devenu un des personnages les plus haïs du pays. Staline, malgré ses crimes, s'impose comme une des figures historiques les plus populaires aux yeux des Russes.

Alors qu'en restera-t-il ?

L'amour qui naît et renaît dans l'œuvre. La vérité de l'homme Pasternak et de son roman. La neige qui fond sur les cils de l'aimée, malgré tout.

# ANNEXE
## Document secret sur Pasternak rédigé par Chélépine, chef du KGB

18 février 1959
Dossier spécial. Ultra-secret
Au Comité central

Le Comité pour la sécurité d'État (KGB) auprès du Conseil des ministres présente au Comité central un rapport sur les matériaux dont disposent les organes de sécurité concernant l'écrivain Boris Pasternak.

Pasternak est le fils d'un peintre ; peu après la révolution d'Octobre, son père est parti s'installer en Angleterre, où il est mort en 1939. À l'heure actuelle, la sœur de Boris Pasternak, Lydia Slater, vit toujours là-bas. Durant les premières années du pouvoir soviétique, Pasternak était proche du groupe littéraire des acméistes. Son œuvre tout entière se caractérise par la célébration de l'individualisme et la fuite hors de la réalité soviétique. Du point de vue philosophique, c'est un idéaliste convaincu.

Ainsi qu'il apparaît dans les matériaux rassemblés par nos agents, Pasternak a plus d'une fois manifesté devant ses amis un état d'esprit antisoviétique, surtout en ce qui concerne la politique du parti et du gouvernement dans le domaine de la littérature et de l'art, étant donné qu'il considère que «la liberté artistique est impossible dans notre pays...» En 1938, Pasternak a déclaré : «Il convient de se protéger de la violence ambiante uniquement en se réfugiant en soi-même, en conservant son intégrité intérieure. Cela exige aujourd'hui de l'héroïsme, il faut présenter ne serait-ce qu'une opposition passive à la sauvagerie et la soif de sang qui règnent ici.»

Durant la guerre patriotique [14], Pasternak a manifesté un état d'esprit défaitiste et, après la victoire sur l'Allemagne fasciste, il s'est montré déçu que la guerre n'ait pas apporté les changements qu'il estimait souhaitables dans le système social et gouvernemental de l'URSS : «Comme par le passé, notre vie reste soumise à l'arbitraire et à la violence, nos âmes et nos pensées, à la tyrannie et au despotisme.» Ne tenant aucun compte de la critique de son œuvre par l'opinion publique soviétique, Pasternak a déclaré que sa popularité en Angleterre avait plus de valeur à ses yeux que les analyses critiques de ses ouvrages dans la presse soviétique. «Vivre en Union soviétique m'est impossible, et je ne vois que deux issues à la situation présente : mettre fin à mes jours, ou partir pour l'Angleterre ; là-bas, je vivrai librement, on m'appréciera à ma juste valeur, et on s'occupera de moi.»

En 1947, Pasternak a fait la connaissance de Mme Woodcroft, une employée de l'ambassade britannique, et lui a demandé quels échos ses œuvres rencontraient dans la presse anglaise et américaine. Il a promis de lui confier ses derniers articles, ses derniers livres, ainsi que le roman sur lequel il travaillait, afin qu'elle les fasse parvenir à l'étranger. À propos de ce roman, Pasternak disait, entre autres, qu'il l'écrivait à l'intention de ceux qui partageaient ses idées, dont la majorité, selon lui, vivait à l'étranger, aussi en retirait-il de la satisfaction et essayait-il d'oublier ce qui existait ici. À l'époque, il travaillait déjà sur *Le Docteur Jivago*. Il avait solennellement déclaré à son entourage qu'en cas de complications, il comptait sur le soutien des Anglais. Il faut noter qu'en 1947 et 1948, Pasternak a eu des contacts avec plusieurs personnes venant d'Angleterre.

Une fois son roman terminé (à peu près au début de l'année 1949), alors qu'il n'avait pas reçu l'autorisation de le publier, Pasternak a diffusé son manuscrit parmi ses amis. En mai 1956, comme vous le savez déjà, il a fait parvenir son roman à l'éditeur Feltrinelli, par l'entremise d'un collaborateur de la radio, le communiste italien D'Angelo, et il a donné son accord pour la publication du livre en Italie. Ainsi qu'en témoignent ses conversations avec G. Katkov, un émigré blanc professeur à l'université d'Oxford, Pasternak justifiait l'envoi de son manuscrit à l'étranger par le fait que ce roman ne pouvait être accepté en Union soviétique.

En prenant cette décision, Pasternak n'était pas, disait-il, intéressé par l'aspect matériel de l'affaire, c'est pourquoi la condition essentielle qu'il avait posée à l'éditeur était de faire traduire *Le Docteur Jivago* après sa parution en italien, en diverses langues européennes comme le français, l'allemand et l'anglais. En août 1957, Pasternak déclare dans une lettre à sa sœur :

« J'ignore à quoi tout cela va aboutir (il parle des réactions à la publication de son roman à l'étranger), et comment cela va se terminer, mais quel que soit le résultat, même si cela entraîne le pire, ce ne sera pas trop cher payer pour le fait que mon livre est écrit, et que rien ne pourra l'empêcher d'occuper dans la vie du siècle la place qui est la sienne. »

Lorsque *Le Docteur Jivago* a été brandi comme un bouclier par les cercles réactionnaires occidentaux, Pasternak a essayé de répandre l'idée qu'on l'avait mal compris, qu'il n'y avait rien de contre-révolutionnaire ni d'antisoviétique dans son roman, que la seule chose qu'il « révisait » était « l'attitude de notre gouvernement envers l'intelligentsia, et ces erreurs seront reconnues un jour, même sans moi. Ce n'est qu'une question de temps, a-t-il ajouté, et si j'en ai parlé un peu trop tôt, le péché n'est pas si terrible, mais ce qui me plaît le plus dans mon *Docteur Jivago*, la raison pour laquelle je ne le renierai pas, ce sont les thèmes de la revalorisation de l'art et de la façon de le considérer ». Le fait que sa conception de l'art était « comprise » en Occident a soutenu Pasternak moralement, et a brisé le soi-disant isolement dont il était victime.

À l'été 1958, a débuté une campagne intensive pour attribuer le prix Nobel à Pasternak, campagne à laquelle ont participé, à l'instigation des Américains, un grand nombre d'organisations et d'associations réactionnaires et antisoviétiques, entre autres les responsables du NTS[15]. Un certain P. Souvtchinski, qui étudie l'œuvre de Pasternak et s'emploie à la faire connaître en France, a écrit à Pasternak, en juillet 1958, qu'en très peu de temps son nom avait acquis en France la célébrité qu'il méritait, et qu'une des plus grandes injustices de l'histoire russe était ainsi réparée. En réponse à cette lettre, Pasternak a écrit : « Vous avez tort de penser que j'étais quelque chose avant le roman. Je ne commence à exister qu'avec ce livre, tout ce qui l'a précédé n'était que broutilles. »

Pasternak n'a pris aucune mesure active pour mettre un terme à l'exploitation du *Docteur Jivago* par la propagande antisoviétique suscitée par l'attribution du prix Nobel. Il a continué à s'en tenir à la fable qu'il avait inventée, selon laquelle *Le Docteur Jivago* était l'œuvre d'un véritable artiste, mais qu'on ne pouvait le reconnaître en Union soviétique du fait des conditions sociopolitiques. Le 23 octobre 1958, au moment de l'annonce du prix Nobel, Pasternak a déclaré à un journaliste étranger qu'il accueillait cette nouvelle avec une grande joie et qu'en Union soviétique on devrait se réjouir qu'un membre de la société soviétique ait été jugé digne d'un tel honneur.

Il espérait que la réaction du pouvoir et de l'opinion publique soviétique serait positive, mais il n'excluait pas la possibilité d'avoir des ennuis. Ne tenant aucun compte de l'indignation de l'opinion publique soviétique, Pasternak ne voulait pas refuser le prix Nobel, et les déclarations qu'il a faites dans la presse étaient à double sens. En fait, ainsi qu'il ressort des contrôles effectués sur sa correspondance, Pasternak a tenté d'envoyer à l'étranger plusieurs lettres dans lesquelles il affirmait être satisfait d'avoir reçu le prix Nobel, et donnait mandat, pour le toucher, à son amie la comtesse de Proyart qui vit en France.

Dans de nombreuses lettres adressées à des journalistes étrangers, Pasternak ne cesse de souligner que la « relative douceur » des mesures prétendument prises contre lui est le résultat de la campagne soulevée en Occident. Il parle de l'isolement pénible dans lequel on le maintiendrait délibérément et du fait que l'on chercherait à l'éliminer définitivement par des moyens divers, y compris par le biais des privations matérielles.

C'est ainsi que dans une lettre du 3 janvier 1959 adressée à un certain McGregor, il écrivait :

« J'ai eu tort d'attendre des manifestations de clémence et d'indulgence en réponse aux deux lettres que j'ai publiées. La clémence et la tolérance ne sont pas dans la nature de mes interlocuteurs, les insultes et les humiliations vont se poursuivre. Le nœud coulant de ce flou, qui se resserre de plus en plus autour de ma gorge, a pour but de me forcer à me mettre à genoux, du point de vue matériel, mais cela n'arrivera jamais. J'ai franchi le seuil de la nouvelle année avec des idées de suicide, et dans la colère. » Ces derniers temps, la hargne de Pasternak s'est encore accrue. Cela se voit, entre autres, dans une lettre au Comité central, dont le projet a été mis sur le compte de la maîtresse de Pasternak, Olga Ivinskaïa, et qui nous est parvenue.

« Je suis adulte, je comprends que je ne peux rien exiger, que je n'ai aucun droit. Que devant un froncement de sourcils du pouvoir suprême, je ne suis qu'un moucheron que l'on peut écraser, et personne ne pipera mot. Mais cela ne sera pas aussi facile. Avant d'en arriver là, quelqu'un, quelque part, finira par avoir pitié de moi... J'ai été stupide d'attendre des signes de largesse et de générosité en réponse à ces deux lettres (il parle de celles qui sont parues). » Le reste de la lettre contient des attaques hargneuses.

Suite à la surveillance exercée autour de Pasternak, il a été établi qu'un certain nombre de personnes de son proche entourage ne partagent pas l'avis de l'opinion publique soviétique et attisent considérablement l'aigreur de Pasternak en le soutenant. Parmi eux, sa maîtresse O. Ivinskaïa. Elle est d'origine noble, on peut la qualifier d'intelligente, mais elle est moralement corrompue. En 1949, elle a été arrêtée pour antisoviétisme et relations avec des trafiquants, et libérée par la suite pour « absence de preuves suffisantes ».

Ainsi qu'il apparaît dans les informations dont nous disposons, Ivinskaïa est prête à émigrer à l'étranger avec Pasternak, aussi essaie-t-elle de le pousser à divorcer d'avec sa femme actuelle et à l'épouser officiellement. Elle exerce sur Pasternak une forte influence.

N. Bannikov, membre du parti, qui, en tant que directeur littéraire des Éditions d'État, s'est longtemps occupé de la publication des œuvres de Pasternak, manifeste un état d'esprit antisoviétique et approuve la position adoptée par Pasternak.

L'écrivain Vsévolod Ivanov et sa femme Ariadna Efron, fille de la poétesse Marina Tsvétaïéva, exercent également sur Pasternak une influence pernicieuse.

Selon nos dernières informations, Pasternak se montre inquiet de l'arrivée prochaine d'une délégation parlementaire britannique, il redoute l'intérêt que pourraient lui porter les journalistes anglais. Pour cette raison, il souhaite aller passer quelque temps à Tbilissi.

Chélépine, président du KGB

# CHRONOLOGIE

**1855-1881** – Règne du tsar Alexandre II.

**Février 1861** – Abolition du servage.

**1864** – Réforme administrative, création des *zemstvos* (conseils locaux), réforme judiciaire.

**1865-1885** – Conquête de l'Asie centrale par la Russie. Attentat de Karakozov contre Alexandre II à Saint-Pétersbourg.

**1er mars 1881** – Assassinat d'Alexandre II par les populistes.

**1881-1894** – Règne d'Alexandre III.

**1er mars 1887** – Tentative d'attentat contre Alexandre III à Saint-Pétersbourg. Alexandre Oulianov, le frère aîné de Vladimir Oulianov (futur Lénine), y est impliqué.

**10 février 1890** – Boris Pasternak naît à Moscou. Il est le fils du peintre Leonid Pasternak et de l'ancienne pianiste Rosalia Kaufman.

**1891** – Début de la construction du Transsibérien.

**1891-1893** – Alliance franco-russe.

**1894-1917** – Règne de Nicolas II.

**1894** – Tragiques mouvements de foule pendant les fêtes du couronnement de Nicolas II à Moscou (tragédie de la Khodynka).

**1896** – Nicolas II en visite officielle en France.

**1905** – Guerre russo-japonaise.

**Janvier 1905** – Première révolution russe.

**20-21 janvier 1905** – Grève générale à Saint-Pétersbourg.

**22 janvier 1905** – « Dimanche rouge ». La police et l'armée tirent sur une grande manifestation pacifique devant le Palais d'Hiver.

**27 juin-8 juillet 1905** – Mutinerie du croiseur *Potemkine* devant Odessa.

**5 septembre 1905** – Traité de paix de Portsmouth entre la Russie et le Japon.

**20 octobre 1905** – Grève générale en Russie.

**26 octobre 1905** – Première réunion du Soviet de Saint-Pétersbourg.

**30 octobre 1905** – Manifeste du tsar Nicolas II promettant les libertés politiques et la réunion d'une Douma d'État législative.

**1906** – La famille Pasternak part à Berlin.

**Juin 1908** – Pasternak termine le lycée avec une médaille d'or. Il s'inscrit à la faculté de droit de l'université de Moscou.

**15 mars 1917** – Abdication de Nicolas II.

**17 mars 1917** – Formation d'un gouvernement provisoire.

**Juin 1917** – Échec de l'offensive russe sur le front sud.

**16-20 juillet 1917** – Journées de juillet, troubles à Petrograd.

**24 juillet 1917** – Kerenski devient président du Conseil.

**Septembre 1917** – Tentative contre-révolutionnaire du général Kornilov, arrêtée par la Garde rouge.

**14 septembre 1917** – Proclamation de la République. Kerenski à la tête d'un directoire.

**7 novembre 1917** – Coup d'État d'Octobre sous la direction des bolcheviks.

**9 novembre 1917** – Formation du conseil des Commissaires du peuple, présidé par Lénine; décrets « sur la paix » et « sur la terre ».

**18 janvier 1918** – Réunion de l'Assemblée constituante élue à Petrograd.

**19 janvier 1918** – Dissolution de la Constituante.

**28 janvier 1918** – Formation de l'Armée rouge.

**14 février 1918** – Adoption du calendrier grégorien.

**18 février 1918** – Offensive austro-allemande contre la Russie soviétique.

**3 mars 1918** – Paix séparée avec l'Allemagne (traité de Brest-Litovsk).

**Mars-avril 1918** – Corps expéditionnaire antibolchevique des alliés à Mourmansk.

**10-11 mars 1918** – Transfert de la capitale de Petrograd à Moscou.

**Avril 1918** – Corps expéditionnaire japonais et anglais à Vladivostok.

**25 mai 1918** – Soulèvement contre-révolutionnaire du corps expéditionnaire tchèque.

**8 juin 1918** – Prise de Samara par les troupes blanches. Constitution d'un gouvernement contre-révolutionnaire.

**28 juin 1918** – Formation en Sibérie d'un gouvernement provisoire contre-révolutionnaire.

**4-10 juillet 1918** – Le V$^e$ congrès panrusse des Soviets adopte la Constitution soviétique.

**17 juillet 1918** – Assassinat du tsar Nicolas II et de toute sa famille dans la nuit du 16 au 17 juillet.

**2 août 1918** – Débarquement anglo-américano-français à Arkhangelsk.

**4 août 1918** – Occupation de Bakou par les Anglais.

**30 août 1918** – Attentat contre Lénine.

**Janvier 1922** – Pasternak épouse Evguénia Lourié.

**Août 1922** – Pasternak et son épouse partent pour Berlin.

**Janvier 1924** – Mort de Lénine.

**1924-1953** – Staline dirige l'Union soviétique.

**Août 1924** – Pasternak publie le recueil de nouvelles *Les Voies aériennes*.

**Septembre 1927** – Parution de son long poème « L'An 1905 ».

**1931** – Pasternak divorce d'Evguénia Lourié.

**Juillet 1932** – Pasternak séjourne à Sverdlovsk avec Zinaïda Neuhaus et ses deux fils.

**Août 1932** – Pasternak publie *Seconde naissance*, recueil de poésie.

**Novembre 1933** – Pasternak visite la Géorgie avec une délégation d'écrivains.

**1934** – Pasternak épouse Zinaïda Neuhaus.

**20 juin 1935** – Gide et Malraux font inviter Pasternak et Babel au Congrès international des écrivains pour la défense de la culture à Paris.

**Août 1936** – Pasternak s'installe à Peredelkino.

**Janvier 1938** – Naissance de Leonid Pasternak, fils de Boris et Zinaïda.

**Août 1939** – Rosalia, la mère de Pasternak, meurt à Londres.

**22 juin 1941** – Hitler lance une attaque contre l'URSS.

**Juin 1943** – Pasternak publie *Les Trains du petit jour*, recueil de poésie.

**1945** – À Londres, Drummond publie un livre de traduction des textes en prose de Pasternak.

**Juin 1946** – Pasternak commence la rédaction du *Docteur Jivago*.

**Juillet 1946** – Pasternak écrit à sa cousine Olga Freidenberg qu'il a commencé un roman qui doit «couvrir les quarante dernières années de l'histoire russe».

**Octobre 1946** – Pasternak rencontre Olga Ivinskaïa, une employée du journal *Novy Mir* (le Nouveau Monde).

**Juin 1950** – Pasternak traduit *Macbeth* de Shakespeare en russe.

**Octobre 1952** – Pasternak est hospitalisé suite à un infarctus du myocarde.

**Janvier 1953** – Pasternak sort de l'hôpital.

**Mars 1953** – Mort de Staline.

**1953-1964** – Khrouchtchev dirige l'Union soviétique.

**Avril 1954** – Pasternak publie une dizaine de poèmes tirés du *Docteur Jivago* dans la revue *Znamja*.

**Mars 1955** – Pasternak achève la rédaction du *Docteur Jivago*.

**Mars 1956** – Pasternak adresse son manuscrit à trois revues soviétiques et le fait aussi passer en Italie.

**Juin 1956** – Les revues soviétiques auxquelles Pasternak avait envoyé son manuscrit répondent que ce roman est « une image injuste et historiquement non objective, éloignée de toute compréhension du peuple ».

**30 août 1957** – Pasternak écrit au directeur du département de la culture, Polikarpov : « La seule raison que j'ai de ne rien regretter dans ma vie, c'est le roman. »

**22 novembre 1957** – Feltrinelli publie une traduction italienne du roman *Le Docteur Jivago* à Milan.

**26 juin 1958** – *Le Docteur Jivago* paraît en France, aux éditions Gallimard.

**23 octobre 1958** – Le prix Nobel de littérature est décerné à Pasternak.

**24 octobre 1958** – Pasternak annonce qu'il se rendra à Stockholm pour recevoir son prix.

**25 octobre 1958** – Pasternak se dit « infiniment reconnaissant, touché, fier, étonné, confus » d'avoir reçu le prix Nobel de littérature dans un télégramme à l'Académie suédoise. Radio-Moscou affirme que l'attribution du Nobel à Pasternak est un acte politique dirigé contre l'État soviétique. Polikarpov, président de l'Union des écrivains de l'URSS, est dépêché à Peredelkino pour convaincre Pasternak de refuser officiellement le Nobel, sans succès.

**26 octobre 1958** – La *Pravda* critique l'attribution du Nobel à Pasternak.

**28 octobre 1958** – Pasternak est exclu de l'Union des écrivains (seuls quelques membres s'y opposent).

**29 octobre 1958** – Pasternak est contraint de notifier au comité Nobel son «refus volontaire» de ce «prix immérité».

**31 octobre 1958** – Pasternak écrit à Khrouchtchev, le suppliant de ne pas l'expulser.

**16 avril 1959** – Polikarpov écrit une note exigeant que Pasternak refuse les droits d'auteur que lui proposent les éditeurs norvégiens.

**17 août 1959** – Polikarpov rédige une note manuscrite confirmant que Pasternak a bien refusé (à sa demande) les droits d'auteur proposés par les éditeurs norvégiens.

**30 mai 1960** – À 23 h 30, Boris Pasternak meurt d'un cancer des poumons à Peredelkino.

**2 juin 1960** – À 16 heures, Pasternak est enterré à Peredelkino, en présence de quelques centaines de personnes bravant la police soviétique, le KGB qui prend des photos, et la pluie battante. Le pianiste Richter joue en sa mémoire.

**1964-1982** – Brejnev dirige l'Union soviétique.

**Mars 1985** – Gorbatchev lance la perestroïka.

**1989** – Élections à candidatures multiples en URSS.

**1990** – Instauration d'un régime présidentiel en URSS.

**Mars 1991** – Gorbatchev est élu président de l'Union.

**19-21 août 1991** – Tentative de putsch contre le président Gorbatchev.

**Décembre 1991** – Fin de l'URSS.

# Notes

1. Alexandre Yakovlev était à l'époque numéro deux du Kremlin et idéologue de la perestroïka, il fut chargé de déclassifier les archives.

2. La haute police du Kremlin reprit des couleurs sous la houlette de ce dynamique et relativement jeune président du KGB entre 1958 et 1961. Alexandre Chélépine ne faisait pas mystère de son ambition de devenir le maître du Kremlin. Il fut écarté lorsque Brejnev et ses complices renversèrent Khrouchtchev.

3. *Le Boulon* (1930-1931) est un ballet en trois actes et sept tableaux de Dimitri Chostakovitch. Il présente de manière allégorique le citoyen russe, dans la société stalinienne, comme une machine.

4. Il s'agit de Jacqueline de Proyart. Les lettres de Boris Pasternak sont citées d'après l'édition russe de ses œuvres complètes.

5. Voir mon *Dictionnaire amoureux de Saint-Pétersbourg*, Plon, 2016.

6. Vers extraits du poème « Le lieutenant Schmidt » de Boris Pasternak.

7. Les lettres de Pasternak à ses parents ont été publiées en russe.

8. Un boyard désigne un noble.

9. Jean-Jacques Marie, *Staline*, Fayard, 2001.

10. Nicolas Werth, *La Terreur et le Désarroi. Staline et son système*, Perrin, coll. «Tempus», 2007. L'auteur estime le nombre de personnes arrêtées à 1 550 000. Voir également son entretien réalisé par Galia Ackerman dans la revue *Histoire & Liberté*, n° 38. Werth ajoute à ce chiffre les 400 000 personnes condamnées à des peines supérieures à cinq ans de camp par les troïkas de la milice et celles qui le furent par des tribunaux ordinaires.

11. Vladimir Fédorovski, *Au cœur du Kremlin. Des tsars rouges à Poutine*, Stock, 2018.

12. Henri Troyat, *Pasternak*, Grasset, 2006, p. 186-187.

13. Il me le confirma personnellement. Voir mon *Roman vrai de la manipulation*, Flammarion, 2018.

14. La Seconde Guerre mondiale pour les Russes.

15. L'Union des solidaristes russes est une organisation très antisoviétique qui essaya de faire de Pasternak le symbole de l'opposition littéraire et de le présenter comme l'incarnation de la nouvelle Russie démocratique.

# BIBLIOGRAPHIE
*(en français)*

## Œuvres de Boris Pasternak

Les textes de Pasternak sont cités d'après l'édition de ses œuvres complètes présentées et annotées par Michel Aucouturier dans la Bibliothèque de la Pléiade, Gallimard, Paris, 1990.

Les lettres sont citées d'après l'édition russe de ses œuvres complètes, Slovo, Moscou, 2003-2005 (traduction par V. Fédorovski).

Boris Pasternak, *Le Docteur Jivago*, Gallimard, 1958.
—, *Lettres aux amis géorgiens*, Gallimard, 1968.
—, *Sauf-conduit*, Gallimard, 1989.
—, *Lettres à mes amies françaises (1956-1960)*, Gallimard, 1994.
—, *Seconde naissance. Lettres à Zina* suivi de *Souvenirs par Zinaïda Pasternak*, Stock, 1995.
—, *Correspondance avec Evguénia (1921-1960)*, Gallimard, 1997.

Rainer Maria Rilke, Boris Pasternak, Marina Tsvétaïéva, *Correspondance à trois (Été 1926)*, Paris, Gallimard, 1983.

Boris Pasternak, Olga Freidenberg, *Correspondance (1910-1954)*, Paris, Gallimard, 1987.

## Témoignages et essais biographiques

Michel Aucouturier, *Boris Pasternak, un poète dans son temps*, Éditions des Syrtes, 2015.

Dmitri Bykov, *Boris Pasternak*, Fayard, 2011.

Olga Ivinskaïa, *Otage de l'éternité. Mes années avec Pasternak*, Fayard, 1978.

Henri Troyat, *Pasternak*, Grasset, 2006.

## Documents

*Le Dossier de l'affaire Pasternak. Archives du Comité central et du Politburo*, Gallimard, 1994.

Vitali Chentalinski, *La Parole ressuscitée. Dans les archives littéraires du KGB*, Robert Laffont, 1993.

Peter Finn, Petra Couvée, *L'Affaire Jivago. Le Kremlin, la CIA et le combat autour d'un livre interdit*, Michel Lafon, 2015.

Les citations extraites des ouvrages en russe sont traduites par Vladimir Fédorovski.

# REMERCIEMENTS

Je tiens à remercier mon ami Manuel Carcassonne dont je n'oublierai pas le génie éditorial, ainsi que sa formidable équipe : Camille de Villeneuve et Hélène Vaultier qui avec érudition, talent et subtilité ont travaillé sur ce texte, Capucine Ruat qui a depuis plusieurs années accompagné mes livres avec tant d'amitié, Vanessa Retureau, Valentine Layet, Héloïse Rachet et Charlotte Brossier, le fer de lance commercial ; un merci tout particulier à Marie Bemberg.

# CRÉDITS

Les extraits des ouvrages suivants :

Boris Pasternak, *Le Docteur Jivago*, traduction de Michel
   Aucouturier, Louis Martinez, Jacqueline de Proyart et
   Hélène Zamoyska ;
Boris Pasternak, *Sauf-conduit*, traduction de Michel
   Aucouturier ;
Boris Pasternark, « Définition de la poésie » (traduction
   de Michel Aucouturier), « Aimer certains, c'est un far-
   deau... » (traduction André Markowicz), « Nuit d'hiver »
   (traduction Jean-Claude Lanne) in *Ma sœur la vie et
   autres poèmes* ;

sont reproduits avec l'aimable autorisation des Éditions
Gallimard.

# TABLE

# DU MÊME AUTEUR

Le Roman vrai de la manipulation, *Flammarion*, *2018*

Au cœur du Kremlin. Des tsars rouges à Poutine (*avec Patrice de Méritens*), *Stock, 2018*

Poutine de A à Z (*avec Patrice de Méritens*), *Stock*, *2017*

Dictionnaire amoureux de Saint-Pétersbourg, *Plon*, *2016*

La Volupté des neiges, *Albin Michel, 2015*

La Magie de Moscou, *Éditions du Rocher, 2014*

Poutine, l'itinéraire secret, *Éditions du Rocher, 2014*

Le Roman des espionnes, *Éditions du Rocher, 2014*

Le Roman de la perestroïka, *Éditions du Rocher*, *2013*

Le Roman des tsars, *Éditions du Rocher, 2013*

La Magie de Saint-Pétersbourg, *Éditions du Rocher*, *2012*

L'islamisme va-t-il gagner ? Le roman du siècle vert (*avec Alexandre Adler et Patrice de Méritens*), *Éditions du Rocher, 2012*

Le Roman du siècle rouge (*avec Alexandre Adler et Patrice de Méritens*), *Éditions du Rocher, 2012*

Le Roman de Raspoutine, *Éditions du Rocher, 2011* (*Grand Prix Palatine du roman historique*)

Le Roman de l'espionnage, *Éditions du Rocher, 2011*

Le Roman de Tolstoï, *Éditions du Rocher, 2010*

Les Romans de la Russie éternelle, *Éditions du Rocher, 2009*

Napoléon et Alexandre, *Alphée*, 2009

Le Roman de l'âme slave, *Éditions du Rocher*, 2009

Les Amours de la Grande Catherine, *Alphée*, 2008

Le Fantôme de Staline, *Éditions du Rocher*, 2007

Le Roman de l'Orient-Express, *Éditions du Rocher, 2006 (prix André Castelot)*

Paris/Saint-Pétersbourg. Une grande histoire d'amour, *Presses de la Renaissance, 2005*

Le Roman de la Russie insolite : du Transsibérien à la Volga, *Éditions du Rocher, 2004*

Diaghilev et Monaco, *Éditions du Rocher, 2004*

Le Roman du Kremlin, *Éditions du Rocher / Mémorial de Caen, 2004 (prix Louis Pauwels)*

Le Roman de Saint-Pétersbourg, *Éditions du Rocher, 2003 (prix de l'Europe)*

La Fin de l'URSS, *Mémorial de Caen, 2002*

Les Tsarines, *Éditions du Rocher, 2002*

La Guerre froide, *Mémorial de Caen, 2002*

L'Histoire secrète des ballets russes, *Éditions du Rocher, 2002 (prix des Écrivains francophones d'Amérique)*

Le Retour de la Russie *(avec Michel Gurfinkiel)*, *Odile Jacob, 2001*

De Raspoutine à Poutine, les hommes de l'ombre, *Perrin, 2001 (prix d'Étretat)*

Les Tsarines, les femmes qui ont fait la Russie, *Éditions du Rocher, 2000*

Le Triangle russe, *Plon, 1999*

Les Deux Sœurs ou l'Art d'aimer, *Lattès, 2003 (prix des Romancières)*

Le Département du diable, *Plon, 1996*

Les Égéries romantiques, *Lattès, 1995*

Les Égéries russes *(avec Gonzague Saint Bris)*, *Lattès, 1994*

Histoire secrète d'un coup d'État *(avec Ulysse Gosset)*, *Lattès, 1991*

Histoire de la diplomatie française, *Académie diplomatique, 1985*

*Cet ouvrage a été composé*
*par Maury à Malesherbes*
*et achevé d'imprimer en France*
*par CPI BRODARD & TAUPIN (72200 La Flèche)*
*pour le compte des Éditions Stock*
*21, rue du Montparnasse, 75006 Paris*
*en septembre 2019*

**PAPIER À BASE DE**
**FIBRES CERTIFIÉES**

**Stock** s'engage pour
l'environnement en réduisant
l'empreinte carbone de ses livres.
Celle de cet exemplaire est de :
**400 g éq. CO$_2$**
Rendez-vous sur
www.editions-stock-durable.fr

*Imprimé en France*

Dépôt légal : octobre 2019
N° d'édition : 01 – N° d'impression : 3035306
63-07-5619/9